Ce livre appartient à

_____

FRANÇOIS ALLAIRE
ALAIN VINARD

PLUS DE 30 SPORTS DIFFÉRENTS

LES SECRETS DE LA RÉUSSITE DES CHAMPIONS

Les plus grands athlètes parlent
de leurs victoires et de leurs défaites

2348, Ontario est
Montréal, Qc
H2K 1W1
Tél.: (514) 522-2244

Éditeur : Pierre Nadeau
Directrice de production : Annie Tonneau
Photo de François Allaire : Daniel Poulin
Maquette de la couverture : Gilles Cyr
Illustration de la couverture : Michel Poirier
Mise en pages : Iris Communication, Saints-Anges, Beauce

La majorité des photos proviennent du Journal de Montréal

Distribution : Québec-Livres
Une division de Groupe Quebecor
4435, boulevard des Grandes Prairies
Saint-Léonard, Qc H1R 3N4
Tél.: (514) 327-6900

Dépôt légal : troisième trimestre 1991
Bibliothèque nationale du Québec
Bibliothèque nationale du Canada

*Nous aimerions personnellement remercier
Céline Coron et Maithé Arias,
qui ont contribué avec beaucoup de doigté
à la préparation du manuscrit original.*

*De plus, nos plus sincères remerciements
aux journalistes sportifs
et athlètes de haut calibre,
sans lesquels la rédaction de ce manuscrit,
sous sa forme actuelle,
n'aurait pas été possible.*

Introduction

En tant qu'entraîneurs, nous devons intervenir constamment auprès des athlètes au niveau de la technique, de la tactique, du conditionnement physique, et de plus en plus sur le plan psychologique.

La psychologie sportive est un domaine aussi vaste que palpitant.

À chaque jour, d'excellents reportages rapportent des citations d'athlètes d'élite qui sont de véritables mines d'or. Alors, pourquoi ne pas apprendre à partir des réflexions et analyses de ceux qui vivent l'événement?

Ce sont ces citations, pigées au fil des jours et des événements, qui ont servi de pierres angulaires à la rédaction de ce volume. Le texte ne sert qu'à appuyer ce que disent ces athlètes d'élite, autant après leurs grandes victoires que leurs pires défaites.

Ce volume développera trois thèmes : une première partie où seront soulevés les principaux problèmes auxquels sont confrontés tous les athlètes, une deuxième section traitera de la façon d'être des athlètes de haut niveau, et, enfin, une troisième partie où sera abordée la façon de se préparer des grands athlètes actuels.

Nous espérons que ce document sera un outil de référence utile, agréable et instructif pour tous les athlètes et entraîneurs, quels que soient leur âge, leur niveau ou leur discipline sportive.

François Allaire
Alain Vinard

Chapitre 1

LE MATCH EXTÉRIEUR ET LE MATCH INTÉRIEUR

«*Entre Steffi et moi, la technique est loin d'avoir l'importance de ce qui se passe dans nos têtes.*»

Gabriela Sabatini
Tennis
L'Équipe, 12 sept. 1988

«*J'ai toujours senti que mon capital le plus précieux n'était pas constitué par mes capacités physiques, mais bien par mes capacités mentales.*»

Bruce Jenner
Athlétisme
Maxi-performance, 1987

LE MATCH EXTÉRIEUR ET LE MATCH INTÉRIEUR

Lors d'une compétition, quelle que soit la discipline sportive, il se déroule toujours deux matches en parallèle.

Le match extérieur, c'est ce que voient les spectateurs, les entraîneurs, les médias, les adversaires. C'est la performance que produit l'athlète.

Le match intérieur, c'est ce que ressent le sportif avant, pendant et après la compétition. C'est ce dialogue interne entre son esprit et son corps, cette lutte incessante entre des pensées négatives, positives ou neutres. C'est ce combat interne qui détermine le niveau de ses performances.

Le match extérieur est toujours la conséquence et le résultat de votre match intérieur.

LE MATCH EXTÉRIEUR

Le match extérieur est le plus connu. C'est sur lui que, lors d'une compétition, porte le jugement de tous ceux qui regardent une activité sportive, alors que le joueur est analysé, et que sont décortiqués ses déplacements, sa technique, son sens du jeu.

C'est ce que réalise le sportif, l'effort qu'il produit, la technique qu'il utilise, l'intelligence tactique dont il fait preuve, le comportement qu'il véhicule.

Les journaux, la télévision, les commentaires des spectateurs, des entraîneurs, des adversaires ou partenaires font étalage des qualités ou des défauts du joueur.

Les commentaires décrivent le déroulement de l'épreuve: à la quinzième minute du match lors d'une mauvaise passe du no 12, l'adversaire a marqué sur une contre-attaque et gagne ainsi le match.

Toutes ces analyses font une description très technique et pertinente des performances du sportif.

Même les sportifs font généralement des commentaires sur le match extérieur avec des précisions techniques, tactiques sur les moments importants où le match a basculé en leur faveur ou défaveur.

«Et puis, aujourd'hui, ce fut le gros coup dur quand, menant 9 à 4 devant le Soviétique Pogossov, j'ai soudain pris peur. Bêtement. Je me suis fait remonter. J'ai perdu 10 à 9. Et il a fallu aller en repêchage.»

J.F. Lamour lors des Jeux olympiques de Séoul où il devait remporter un deuxième titre olympique.
Sabre
L'Équipe, 24 sept. 1988

Bien souvent, les défaites ou les victoires sont agrémentées d'informations sur la préparation d'avant-compétition, sur les relations internes entre les joueurs, les entraîneurs ou les dirigeants, les décisions de l'arbitre, les adversaires, les choix tactiques, bref sur des événements extérieurs à l'individu.

«Chez Renault, l'ambiance n'était pas bonne. Les résultats étaient trop importants. Des polémiques naissaient à tout moment.»

Alain Prost
Course automobile
L'Équipe, 7 janv. 1988

Muster, après une défaite contre Corlson: «J'ai tout essayé contre lui! Du fond du court, il est impossible à battre. Alors, j'ai repris la balle de volée, j'ai varié mes coups... Mais il faut faire un tel effort de concentration, il faut être tellement précis contre lui. J'en étais incapable.»

Tomas Muster
Tennis
L'Équipe, 15 sept 1988

«Hier, j'étais parfaitement bien dès l'échauffement. J'étais confiant et sûr de moi avant la partie contre Jacob.»

Stéphan Edberg
Tennis
L'Équipe, 10 oct. 1988

Le match extérieur c'est ce que filme la caméra, ce qu'enregistre le magnétoscope.

Ce match est le résultat d'un autre match, que ne voit pas le spectateur, mais que l'athlète vit en permanence dans sa tête, avec ses émotions, ses difficultés, ce combat incessant entre son esprit et son corps.

Cette lutte qui souvent décide de la victoire ou de la défaite, c'est le match intérieur.

LE MATCH INTÉRIEUR

Chaque athlète possède un potentiel physique très bien défini. Pourtant, lorsque l'on observe le rendement des athlètes, en général, on s'aperçoit que leur rendement sur une longue période est variable.

Tous ont déjà observé un golfeur jouer un match extraordinaire le samedi et être complètement moche le lendemain.

Ou bien, on a vu un joueur de tennis gagner deux ou trois tournois consécutifs puis on n'a plus entendu parler de ce joueur pendant une ou deux saisons.

C'est difficile lorsque l'équipe perd six matchs successifs. Les joueurs deviennent anxieux. Chacun s'interroge sur le prochain match, la septième défaite?»
«Quelques bons matchs suffiront peut-être pour que je retrouve toute mon énergie. Je sais combien je suis important dans cette équipe et mes problèmes émotifs n'arrangent pas les choses. La solution est dans ma tête.»

Denis Savard
Hockey
La Presse, 12 déc. 1988

Denis Savard, lors de sa dernière saison avec les Black Hawks de Chicago.

Ou encore, on a remarqué un joueur de baseball recrue connaître une première saison extraordinaire et une deuxième saison marquée de problèmes de toutes sortes.

Des exemples semblables il y en a à foison. Comment un athlète, qui possède un potentiel physique prédéterminé, peut-il être excellent un jour et mauvais le suivant, bon pendant cinq mois et extraordinaire pendant trois semaines, ou encore superbe pendant trois ans, très moyen pendant une saison et revenir à son niveau la saison suivante?

Étant donné que de telles fluctuations dans le rendement ne sont pas toujours imputables à des changements physiques, ces exemples ont fait dire à Timothy Gallwey que, pour l'athlète, «l'adversaire le plus difficile à battre n'est pas en face de lui mais dans sa tête [1]».

«La pression que l'on a sur les épaules, c'est celle que l'on se crée soi-même dans sa tête, dans son imagination.»

Yvan Lendl
Tennis
Tennis de France
#422, Juin 1988

1. Gallwey, T., Gagner le match. Le Jour, Éditeur. Montréal, 1984, 237 pp.

L'athlète découvre que les réactions de son esprit lui créent beaucoup plus de difficultés que l'adversaire.

Ses pensées rendent ses gestes techniques plus difficiles qu'ils ne le sont en réalité.

De plus, Gallwey ajoute, pour mettre vraiment en valeur le rôle très important de l'aspect mental lors de compétitions sportives, que «les erreurs existent dans la tête avant de se manifester dans les actes».

«... si tu te mets à penser que tu pourrais être battu, tu as perdu d'avance.»

Mike Hailwood
Course de moto
Mike Hailwood
Hatier, 1970

Prenons des exemples que vous avez certainement vécus dans votre dialogue intérieur :

«Tu rateras sûrement ton coup encore une fois. Une autre erreur et le match est perdu. Que vont dire les dirigeants, parents, partisans ou médias si je perds la compétition?»

«L'adversaire est trop fort, je ne suis pas capable de gagner. Rien ne marche aujourd'hui. Je n'étais pas prêt. J'étais en retard sur l'action.»

«Tu es vraiment un imbécile, ce coup était facile, tu ne pouvais pas le manquer. Si tu continues à jouer de cette manière, tu n'as aucune chance de gagner. Tu as encore fait la même erreur. J'espère que les adversaires vont avoir une baisse de régime. Ce n'est pas possible, je ne vais pas pouvoir continuer à suivre ce rythme.»

> «Tu ne peux pas monter dans l'arène et penser à des trucs comme: «pourvu que je n'en prenne pas trop une sévère», ou «pourvu que je ne blesse pas ce mec qui, après tout, ne m'a rien fait...» sinon t'es foutu!»

Mike Tyson
Boxe
L'Équipe, 25 juin 1988

> «Avant de m'avancer sur le court j'étais nerveux et je pensais bien que Jimmy avait beaucoup plus de chances que moi de l'emporter.»

Andrei Chesnokov
Tennis
L'Équipe, 17 oct. 1988

Quand de telles pensées occupent votre esprit, l'adversaire semble être plus rapide, plus fort. Vos perceptions sont déformées, votre technique manque de précision, vos choix tactiques s'alourdissent et vous n'éprouvez plus de satisfaction ni de plaisir.

> «Quand j'ai joué mon premier match contre mon ancien club, lorsque les Jets m'ont échangé aux Devils, j'ai fait l'erreur de penser trop et de ne pas réagir assez. Je pensais à ce que les gars devaient faire dans une telle situation alors que j'aurais dû me concentrer sur le match.»

Alain Chevrier
Hockey
La Presse, 19 mars 1989

Il est impossible que vous réalisiez tout votre potentiel lorsque votre esprit vous donne trop de directives, que vous vous souciez trop de votre image et que vous êtes envahi par le doute et l'anxiété.

Un dialogue interne se déroule dans la tête de tous les sportifs, dialogue qui ne s'interrompt que rarement, sauf lors de périodes de concentration intense.

«J'ai réussi à remporter ce premier jeu capital. Du coup, la trouille s'est envolée et je n'ai plus pensé qu'à mon match.»

**Pat Cash,
champion de Wimbledon en 1988**
Tennis
Tennis de France #417, Janv. 1988

Le champion a la capacité d'écarter ces obstacles mentaux qui l'empêchent de donner sa meilleure performance. Il sait qu'il a un fort potentiel et qu'il doit se débarrasser des limites mentales qui le restreignent pour atteindre son maximum.

> «Dans ma tête, j'y ai toujours cru. Pas d'être champion du monde, ce serait me vanter, mais en mes chances. J'ai montré qu'en étant fort dans sa tête, on pouvait renverser des montagnes.
>
> **René Jacquot, champion Super-Walter**
> Boxe
> *L'Équipe,* 13 fév. 1989

Il ne cherche pas d'excuses dans son match extérieur lors d'une défaite. Il ne croit pas qu'une autre personne ou un élément extérieur, telle une décision de l'arbitre, une défaite antérieure, puisse l'empêcher d'atteindre son but. Il sait que dans son match intérieur les limites qu'il s'impose sont les seuls obstacles réels à sa victoire.

> «... il faut toujours penser que vous pouvez gagner. Sinon la défaite est assurée. C'est le seul moyen: il faut vous persuader au plus profond de vous-même que vous avez la possibilité de l'emporter. Si vous entrez sur le court et que vous commencez à douter, alors l'issue du match est certainement la défaite. Ça prend souvent beaucoup de temps pour croire en soi, mais c'est essentiel.»
>
> **Lori MacNeil**
> Tennis
> *Tennis Magazine,* 1989

L'HÉMISPHÈRE GAUCHE
ET L'HÉMISPHÈRE DROIT DU CERVEAU

Les recherches sur le fonctionnement du cerveau semblent indiquer un mode de pensée et de perception différent pour chacun des hémisphères du cerveau humain.

Étant donné l'importance de l'intervention de la pensée lors des performances sportives, jetons un coup d'oeil sur les différentes fonctions de chacun des hémisphères du cerveau.

Tableau 1

Différentes fonctions du cerveau

Hémisphère gauche (l'esprit)	Hémisphère droit (le corps)
- Siège de la parole	- Siège de la vision
- Perçoit le temps	- Perçoit l'espace
- Perçoit les détails ou les différentes parties d'un tout	- Perçoit l'ensemble
- Traite les informations par séquences	- Perçoit simultanément
- Origine de la pensée logique et analytique	- Origine de la perception intuitive

Ces différentes aptitudes semblent se compléter l'une l'autre. Ainsi, lorsque vous faites le bilan (ou l'analyse) de votre dernier tournoi, vous mettez à profit les aptitudes de votre hémisphère gauche.

Kurt Browning après avoir réalisé sa fameuse quadruple boucle piquée qui lui a permis de remporter le championnat mondial.

Par contre, lorsque vous vous voyez mentalement réaliser une performance parfaite, vous utilisez à bon escient les capacités de l'hémisphère droit.

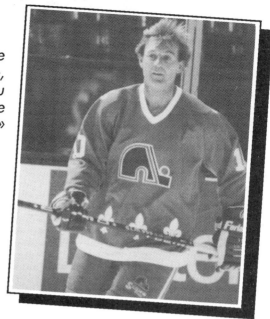

«Je caressais un rêve quand j'étais jeune, celui de jouer au hockey dans la Ligue nationale.»

Guy Lafleur
Hockey
Journal de Montréal,
9 août 1988

Le sport offre des chances inouïes d'utiliser et de développer adéquatement les aptitudes de deux hémisphères du cerveau.

En voici, d'ailleurs, quelques-unes décrites à l'intérieur du tableau II.

Tableau II

Utilisations positives de chaque hémisphère

Hémisphère gauche (l'esprit)	Hémisphère droit (le corps)
- Établir des objectifs - Planifier un match, un tournoi, une saison - Faire le bilan d'un match, d'un tournoi, d'une saison - Trouver une affirmation positive ou un slogan efficace	- Visualisation d'un geste, d'un match, d'une performance grandiose - Réaction naturelle ou instinctive pendant le match - Utilisation d'un symbole (image ou porte-bonheur) pour vous rappeler une qualité physique ou une performance que vous voulez atteindre.

Comme vous pouvez le constater, chaque partie du cerveau est utile, voire indispensable, lors de performances sportives.

Soulignons cependant que l'hémisphère gauche, qui est caractérisé par la pensée analytique, cause toujours de graves ennuis si l'athlète se met à faire cette analyse en cours de match.

On le sait, les contractions musculaires involontaires sont sans doute la cause principale des erreurs dans le sport. D'ailleurs, l'esprit est toujours à l'origine de cette tension musculaire inutile qui empêche d'utiliser toute son énergie et son talent et fait obstacle à toute réaction naturelle lorsqu'il s'agit de modifier la trajectoire du mouvement.

«Chaque coureur vit en sachant qu'il peut tomber et se blesser sérieusement. Et il y a des chutes mortelles sur des pistes de course abruptes. Mais si l'idée du danger vous poursuit sans cesse, il vaut mieux ne pas courir. Si vous êtes tendu, vous commettez inévitablement une faute à un moment crucial. Si vous avez peur de tomber, vous êtes condamné dès le départ.»

Nancy Green
Ski alpin
Autobiographie d'une championne
Hatier, 1969

Si vous êtes attentif à votre match intérieur, vous identifierez les acteurs de cette communication interne : l'esprit et le corps.

Mais que se passe-t-il dans votre tête lorsque vous éprouvez des difficultés lors d'une compétition?

1- L'esprit envoie des informations techniques au corps

En règle générale, l'esprit connaît les aspects techniques et tactiques du jeu. Il explique la «bonne» façon d'accomplir les gestes techniques. Très souvent le discours est positif et répétitif, mais le ton et les qualificatifs employés ne donnent pas confiance au corps qui agit.

L'esprit est méfiant et il répète continuellement les mêmes consignes : «plie les jambes» , «mais plie les jambes», «plie les jambes».

Il semble convaincu que le corps n'a pas de mémoire et ne peut fonctionner qu'avec ces conseils.

«Je pensais toujours à un élément de mon élan lorsque j'étais au bâton, telles la position de mes mains et la position de mes pieds au marbre.»

Tim Wallach, qui a connu une certaine léthargie au bâton au camp d'entraînement en 1989.
Baseball
La Presse, 21 mars 1989

Comme le corps reçoit trop de conseils, souvent négatifs, il se crispe, les muscles se contractent, le visage, les épaules, les poings sont serrés.

Trop contracté, le mouvement perd de sa souplesse, le geste technique manque de précision.

Et plus l'esprit s'applique à faire le bon geste, plus le corps se contracte, et plus il joue mal.

Il en résulte un sentiment de frustration, d'échec et de découragement devant l'impossibilité de bien faire.

Le plaisir de jouer disparaît. L'esprit en voulant bien faire crée un obstacle mental et empêche le corps de réaliser son potentiel..

2- L'esprit envoie des jugements personnels au corps

Dans les sports, comme dans la vie, nous avons tendance à nous juger en «bien» ou en «mal».

Lorsque nous accomplissons un acte sportif, nous le qualifions de bon ou de mauvais.

L'esprit adore se juger et juger les autres. Il aime se comparer aux autres, se convaincre qu'il est «inférieur» ou «supérieur» à eux.

Dans ces deux cas, l'analyse et l'application empêchent le sportif de réaliser pleinement son potentiel.

«Beaucoup de nouvelles patineuses arrivent avec une variété de techniques. Ce qui est différent pour moi, par comparaison aux années précédentes, c'est que j'aurais capoté sous cette pression.»

Charlene Wong
Patinage artistique
La Presse,
22 sept. 1989

Ces jugements modifient nos perceptions, l'adversaire devient plus fort ou plus faible qu'il n'est en réalité.

Quand un athlète arrête de se juger, il se sent plus libre, plus dégagé. Il reprend confiance en lui.

Il se libère de sa prudence excessive, de sa volonté de tout contrôler et il voit les événements avec plus d'objectivité, de discernement, de réalisme.

3- L'esprit envoie au corps des pensées et des sensations alimentées par le doute et la peur.

Lorsque notre esprit bavarde, il devient inquiet, distrait et anxieux. Il empêche les muscles de bien capter les ordres non verbaux du cerveau.

Les muscles ne reçoivent pas tous les messages du cerveau et les mouvements du corps deviennent imprécis et nous ratons des gestes faciles.

Dans certains cas nous jugeons la situation trop importante et nous doutons beaucoup de nos aptitudes. Ce doute provoque des réactions exagérées, des tensions se ressentent bien avant le début de la compétition.

> *«J'avais dit que je pouvais être champion olympique. Je sais aujourd'hui que j'avais raison. J'ignorais toutefois que je flancherais là où je me prétendais fort. Nerveusement.»*

Christian Plaziat, après sa 5ᵉ position aux Jeux olympiques de Séoul.
Décathlon
Sud-Ouest, 30 sept. 1988

Lorsque l'esprit attache beaucoup trop d'importance au résultat du match, dans un moment décisif, le corps risque de se dérégler et de manquer un geste technique simple pourtant réussi avec efficacité à l'entraînement.

«C'est dans le domaine du mental que j'en apprends tous les jours. Je voudrais réussir en match les coups que je joue à l'entraînement.»

Lori MacNeil
Tennis
Tennis Magazine, 1989

L'esprit dicte au corps des impératifs, il «faut» que tu gagnes, tu dois être le meilleur, l'erreur devient impardonnable, ses conséquences sont dramatiques, l'enjeu est une question de vie ou de mort.

Dans ce contexte, la pression devient insupportable. Si l'adversaire prend l'avantage ou si l'acte sportif réalisé décide de la victoire, le joueur a de grandes chances d'être envahi par le doute et la peur.

«Mais il était difficile de rester serein. Le matin, j'ai fait une très bonne course, en étant très motivé. Ensuite, je n'ai pu m'empêcher de penser à mes responsabilités. Beaucoup d'espoirs reposaient sur moi et je voulais tellement bien faire. Je me devais de mériter au moins une médaille...»

Stéphane Caron, médaillé de bronze au 100 m, à Séoul.
Natation
L'Équipe, 22 sept. 1988

Ou encore, lorsque vous jouez mieux que d'habitude, vous êtes dans un état de grâce; votre esprit vous dit que ce n'est pas normal, que cela ne peut pas durer.

Quelquefois, lorsque vous dominez, votre esprit a tendance à vous dire que tout va bien, à penser à votre future victoire, à vous voir sur le podium. Alors vous vous relâchez, perdez votre concentration et l'adversaire revient dans le match.

«J'allais gagner et me classer en tête du championnat! Le concurrent le plus proche se trouvait à plus de six minutes derrière. J'allais gagner, à condition de franchir la ligne d'arrivée. Je m'affolai complètement et, dans le premier virage un peu serré de la spéciale suivante, je m'arrangeai pour coincer si bien la voiture entre les pins qu'il n'était plus question de songer à continuer. Ma sortie de route ne pouvait s'expliquer que par la négligence et un manque de concentration, car l'endroit n'était même pas difficile.»

Ari Vatanen
Course automobile
Pour une poignée de secondes
Albin Michel, 1988

L'athlète utilise rarement son potentiel physique maximum car son esprit établit des obstacles mentaux qui freinent le corps.

Lorsque vous êtes dans une période de concentration intense, l'intervention de l'esprit est diminuée au maximum afin que votre corps puisse s'exprimer totalement.

> «Je me concentrais pour frapper la balle sans me soucier du pointage.»
>
> **Héléna Sukova, après un victoire contre Martina Navratilova.**
> Tennis
> *La Presse*, 20 nov. 1988

Et lorsque le corps dirige la manoeuvre, il est en pilotage automatique, la qualité des mouvements s'améliore, le plaisir qu'on y prend grandit.

> «Je joue extrêmement bien dans le moment; jamais je ne me suis sentie aussi forte physiquement et moralement, et, par surcroît, le poids de la tension ne m'incommode absolument pas. J'ai déjà hâte de retourner sur le court...
> Je pense avoir joué un match quasi exemplaire aujourd'hui, compte tenu du fait que je parvenais constamment à m'imposer sur les jeux susceptibles de devenir des points tournants dans le match.
> Cette victoire me procure une grande satisfaction, et pour cause. Vaincre une joueuse du calibre de Chris Evert n'est pas banal en soi.»
>
> **Gabriela Sabatini**
> Tennis
> *Journal de Montréal*, 21 août 1988

Pour gagner notre match intérieur, il est nécessaire de surmonter les obstacles mentaux qui nous empêchent d'atteindre nos objectifs.

LES BLOCAGES INTÉRIEURS CRÉÉS PAR L'HÉMISPHÈRE GAUCHE

Tout joueur qui a déjà vécu pareille expérience lors d'un match sait très bien que, lorsque des pensées occupent son esprit, la perception du match est déformée et que ces mêmes pensées rendent les coups beaucoup plus difficiles qu'ils ne le sont en réalité.

Mais quelles formes ont donc ces «blocages intérieurs» qui empêchent un grand nombre de sportifs de performer adéquatement et constamment selon leur vrai potentiel?

Voici une liste des principaux «blocages intérieurs» les plus souvent mentionnés par les sportifs[1] :

La peur :

- La peur de perdre ou de gagner.
- La peur d'être blessé ou d'avoir mal.
- La peur de commettre des erreurs.
- La peur de ne pas répondre à ses attentes ou à celles des autres.
- La peur d'avoir l'air stupide (esthétique).
- La peur d'une compétition importante ou d'un moment important durant le match.
- La peur de rater des coups faciles.

«Dès que j'ai peur de ...., je change complètement mon style de jeu.»

Négatif :

> «La tachycardie, je n'arrêtais pas d'y penser.
> J'ai atteint les sommets de la peur. Jamais
> je n'ai eu une telle frousse. Même durant la course
> je n'ai pas arrêté de réfléchir. Je pensais
> à tout ce qui pouvait arriver.
> Et j'ai eu du mal à finir.»

Stéphane Caron, médaillé de bronze au 100 m à Séoul.
Natation
L'Équipe, 22 sept. 1988

---

1. Gallwey, t., Gagner le match, Le Jour, Éditeur, Montréal, 1984, 237 pp.

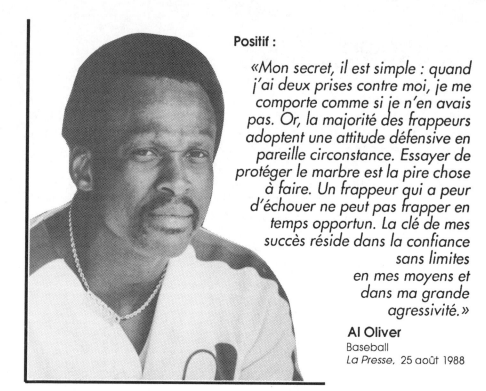

Positif :

«Mon secret, il est simple : quand j'ai deux prises contre moi, je me comporte comme si je n'en avais pas. Or, la majorité des frappeurs adoptent une attitude défensive en pareille circonstance. Essayer de protéger le marbre est la pire chose à faire. Un frappeur qui a peur d'échouer ne peut pas frapper en temps opportun. La clé de mes succès réside dans la confiance sans limites en mes moyens et dans ma grande agressivité.»

Al Oliver
Baseball
La Presse, 25 août 1988

Positif :

«Je préfère parler du désir de gagner que de la crainte de perdre...»

Bob Gainey
Hockey
Journal de Montréal, 11 mai 1989

Le manque de confiance en soi :

- Manque de confiance en soi.
- Mauvaise opinion de soi (image négative).
- Certains coups sont faciles mais d'autres semblent impossibles.

«Je n'ai pas confiance en moi et je ne m'améliorerai jamais.»

Négatif :

«*On l'avait tellement dit et écrit que je finissais par me demander si ce n'était pas exact. Vous savez, si on vous affirme tous les jours que vous êtes fou, vous finirez par le devenir vraiment.*»

Guillermo Vilas,
après sa première grande victoire en 1977.
Tennis
Les grandes heures de Roland Garros
Éditions Pac , 1981

Positif :

«*J'ai gagné parce que j'ai cru que je pouvais le faire. Depuis quelque temps, je tente de mieux contrôler mes émotions. Ce n'est pas mon jeu qui change, c'est moi!*»
Pam Shriver, après sa victoire contre Steffi Graff aux masters, en 1988.
Tennis
La Presse, 20 nov. 1988

Le blâme :

- Se juger sévèrement.
- Juger sa performance.
- Se comparer constamment (meilleur ou moins bon que...).
- Avoir des intentions confuses (désirer jouer contre de meilleurs joueurs pour apprendre et s'améliorer mais, après un certain temps, vouloir gagner pour prouver que l'on est meilleur).

«Je me fâche contre moi-même et je me juge négativement.»

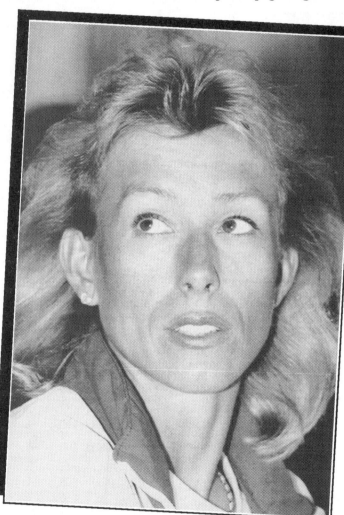

Négatif :
«Je n'ai rien fait de bon. Ni mon service ni rien. Et quand mon service ne va pas, le reste de mon jeu en souffre. Mais ce qui me désappointe le plus, c'est que, émotivement, je n'ai pas donné 100 p. cent. Je n'y suis pas allée de tout mon coeur.»

Martina Navratilova, après sa défaite surprise contre la jeune soviétique Natalia Zuereva.
Tennis
La Presse, 20 août 1988

Le manque de concentration :

- Être distrait et penser souvent à autre chose.
- Ne pas pouvoir bien se concentrer longtemps.
- Concentration qui demeure superficielle.

«Je ne me laisse jamais totalement absorber
par mon match.»

Positif :

«Je serai tellement concentré sur le match que je vais rater la majeure partie de l'atmosphère.»

Kelley Hrudey, lors du septième match de la série contre les Oilers d'Edmonton.

Hockey
La Presse, 15 avril 1989

L'application excessive :

- Trop appliqué.
- Trop tendu, impossibilité de se décontracter.
- Désir de contrôler le moindre de ses mouvements.
- Submergé par le souci du résultat (prudent, mécanique).

«Plus je m'applique, plus le problème semble s'aggraver.»

Négatif :

«J'ai recherché la difficulté tout le long du parcours par souci de pousser à fond la démonstration que ce bateau était excellent. Que je l'avais conçu comme il le fallait et réalisé dans les temps que je m'étais fixés... C'est peut-être ce qui, en partie, m'a coûté la course. En voulant trop bien faire.»

Alain Colas
Navigateur
Nanureva ne répond plus
Édit. SIPE, 1980

Positif :
«Je ne me suis pas fixé d'objectif particulier cette année. Jouer de mon mieux, telle est mon ambition. Le reste, c'est de la crème sur le gâteau. Je sens que je peux faire mieux que l'an passé. Si je fais mieux et surtout si je suis heureux dans ma peau, alors le reste viendra par surcroît. Je vais sûrement gagner un tournoi important.»
John McEnroe
Tennis
La Presse, 9 fév. 1989

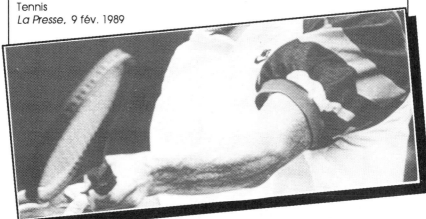

Le manque de volonté à gagner :

- Manque d'instinct combatif et d'enthousiasme.
- Trop gentil ou sociable (manque d'agressivité).
- Oublie ses objectifs en cours de route.
- Joue mal lorsqu'il est sur le point de gagner.

«Je joue avec tiédeur, je ne joue pas de bon coeur.»

Négatif :

«Cette défaite a sans doute fait tomber mon agressivité. Ensuite, j'ai été moins actif. J'ai perdu ma concentration. C'est fou, mener et se faire planter à une minute trente de la fin...»

Patrice Mourier, donné comme favori aux Jeux de Séoul, après son élimination lors des sélections.
Lutte
L'Équipe, 21 sept. 1988

Négatif :

«Je n'ai pas bien skié aujourd'hui. Mais, à vrai dire, au départ le moral n'y était pas. Quand on n'a pas envie de prendre le départ, on ne peut prétendre gagner.»

Jean Claude Killy
Ski
Dauphine Libéré,
5 janv. 1968

Positif :

«Ma grande force,
face à mes
adversaires, fut
toujours mon pouvoir
de concentration et
mon envie de gagner.»

Chris Evert Loydl
Tennis
L'Équipe, 12 sept. 1989

Le perfectionnisme :

- Jamais satisfait de ses progrès.
- Jamais heureux même après une victoire.

«Je ne suis satisfait que lorsque ma performance est parfaite. Mais, étant donné qu'elle n'est jamais parfaite, je suis toujours insatisfait.»

Négatif :

«Et moi, je m'énerve pour rien. Je
suis trop anxieux. J'en suis à ce point
de mon développement que je me
sens atteindre un niveau de jeu
supérieur. Je ne possédais ni cette
volée ni ce revers quand j'ai gagné
Wimbledon (1985 et 1986). J'ai
tellement hâte de tout contrôler que
j'oublie le match en cours.»

Boris Becker, lors d'une période creuse
en 1988.
Tennis
La Presse, 21 déc. 1988

Positif :

«Je joue moins bien mais je gagne plus régulièrement.»

Bjorn Borg en parlant de sa carrière.
Tennis
La Presse, 7 déc. 1984

La timidité :

- Penser à ce que les autres pensent de soi.
- Toujours s'interroger sur son jeu.

«Je m'interroge sans arrêt sur mon jeu et je me demande ce que les autres (coach, coéquipiers, parents) pensent de moi.»

Négatif :

«C'est une expérience que j'ai vécue. Le problème découle d'un désir de vouloir jouer pour les autres, un but presque impossible à réaliser parce que, à la longue, ça nous détruit.»

Sally Little
Golf
La Presse, 22 janv. 1989

Positif :

«Parce que l'on devient facilement prisonnier de son personnage. Et alors on dépend en fait des autres. Moi, je suis tout à fait indépendant. Et je ne veux dépendre que de ma famille. Non, c'est pas ça, en fait je ne dépends que... de moi tout simplement. Les gens peuvent dire n'importe quoi, colporter n'importe quoi, ça ne changera rien. On ne peut pas faire l'unanimité, de toute manière.»

José Toure
Football
L'Équipe Magazine, 25 fév. 1989

La frustration :

- Être frustré après une erreur ou deux.

«Je me fâche et j'ai envie de tout abandonner.»

Négatif :

>   *«Dans un combat, il y a toujours un moment où tu te demandes si tu vas continuer. Le diable te travaille au corps. Quelque chose en toi te pousse en avant. Mais, aussi violemment, tu t'insurges, tu en as marre de prendre des coups. Tu hésites entre le statut de champion ou celui de mauviette et, là, les moyens physiques ne suffisent plus.*

Larry Holmes
Boxe
L'Équipe, 21 sept. 1985

Positif :
>   *«Et le vainqueur est toujours celui qui fait le moins d'erreurs, qui supporte le mieux la pression.»*

André Agassi
Tennis
Tennis Magazine, 1989

La colère :

- Être en colère contre soi, contre son adversaire, son entraîneur, l'arbitre.
- Être en colère contre le sort qui favorise toujours l'adversaire.
- Être en colère contre son équipement, la condition du terrain, la température, etc.

«On dirait que c'est toujours à moi que ça arrive, j'en ai marre.»

Négatif :

«Sur l'incident provoqué par une balle douteuse, j'ai discuté et je me suis énervé. Soudain, j'ai vu Borg; il ne bougeait pas, semblait étranger à ce qui se passait. J'ai vraiment eu l'impression qu'il se moquait éperdument de la décision de l'arbitre. Mentalement j'ai craqué.»

Raoul Ramirez
Tennis
Les grandes heures de Rolland Garos
Édition Pac, 1981

Négatif :

Tretiak, en parlant de sa retraite : «Mes réflexes étaient intacts et j'avais encore l'habileté pour bien faire mon travail. Toutefois, j'avais les nerfs à fleur de peau. Après les matches, j'avais de la difficulté à contenir ma rage.»

Vladislav Tretiak, tout juste avant de prendre sa retraite.
Hockey
Journal de Montréal, 21 août 1985

Positif :

«*Quand tu es en colère dans la rue, tu te mets dans un tel état d'émotivité que tu peux te battre contre n'importe quoi. Sur le ring, j'ai appris à me contrôler, à ne pas m'énerver. Toute la discipline que j'ai acquise avec Gus. ressort dans ces moments-là. Je suis en contrôle total.*»

Mike Tyson
Boxe
L'Équipe Magazine #373, 25 juin 1988

L'ennui :

- S'entraîner régulièrement mais sans vraiment aimer cela.
- Être de moins en moins intéressé au jeu.

«Je joue ou je m'entraîne, mais je ne m'amuse pas du tout.»

Négatif :
«Je ne sais que faire pour retrouver le désir de jouer. Je cherche le moyen de sortir de cette routine.»
Denis Savard, lors de sa dernière saison avec les Black Hawks de Chicago.
Hockey
La Presse, 2 déc. 1988

Négatif :
«Je me suis mariée et je crois bien que j'ai cessé en même temps de travailler ma technique. J'ai pris de mauvaises habitudes. J'ai arrêté de m'entraîner entre les tournois. J'étais une âme en peine. Je pleurais chaque soir en retournant à mon hôtel. Je n'étais vraiment pas bien dans ma peau.»
Nancy Lopez. Après trois saisons extraordinaires, Nancy Lopez perdait sa touche magique lors de la saison 1982.
Golf
La Presse, 3 mars 1987

Positif :
«J'ai gardé en tout cas mon enthousiasme intact et j'ai l'impression d'être le plus jeune. Je ne fais pas de projection sur l'avenir. Je joue au jour le jour. Je ne conserve pour l'instant aucun souvenir vu que ma carrière n'est pas terminée. On verra après.»
Serge Blanco
Rugby
L'Équipe, 5 nov. 1988

Les attentes :

- Avoir des attentes personnelles trop petites ou trop grandes.
- Subir les attentes trop petites ou trop grandes de la part des autres.

«J'attends trop (ou trop peu) de moi et les autres attendent trop (ou trop peu) de moi.»

Négatif :

«Le ski de compétition est un sport de tension intense, et cette tension vient de deux directions – de l'intérieur et de l'extérieur. Dès l'instant où vous avez commencé, en compétition, à remporter un succès, même un succès moyen, vous prenez immédiatement conscience des pressions externes. Elles s'exercent sur vous de tous côtés, des journaux et des magazines, des amateurs du ski, de vos compatriotes. Vous avez une peur effroyable de les décevoir, vos compatriotes surtout.»

Nancy Green
Ski
Autobiographie d'une championne, 1968

Positif :

«La pression? Quelle pression? Personne ne s'attend à ce que je gagne, pas même moi. Il n'y a donc aucune pression sur moi. Je veux simplement disputer les quatre rondes et avoir un bon tournoi.»

Steve Jones tentant de remporter un troisième tournoi consécutif sur le circuit de la P.G.A.
Golf
La Presse, 19 janvier 1989

Un esprit sans repos :

- Réfléchir constamment.
- Douter juste avant de faire un mouvement.
- Langage intérieur négatif (chaque erreur renforce l'image négative de soi).
- Être mentalement surexcité.

«Ma tête me donne trop de directives et je finis par manquer mon coup.»

Négatif :

«Mon cerveau et mes mains n'étaient pas d'accord...»

Scott Hock manquant un coup roulé au premier trou supplémentaire du Tournoi des Maîtres.
Golf
La Presse, 10 avril 1989

Négatif :

«Je me posais toutes sortes de questions. Ce fut une période très difficile à passer. Même qu'après la saison 1986 j'en suis presque venue à la décision de tout lâcher. Ai-je besoin de me tracasser autant? Pourquoi ne ferais-je pas autre chose comme le design architectural (j'ai un flair pour cet art)?

Sally Little
Golf
La Presse, 22 janv. 1989

Positif :

«Ne nous sommes pas venus à Paris pour une médaille car si on y pense trop, on oublie de se concentrer sur son patinage.»

Cindy Landry
Patinage artistique
La Presse,
16 mars 1989

Positif :

«Ce soir, je me suis élancé au lieu de penser à la position de mes mains. J'ai fait le vide; je me suis contenté de bien suivre la balle et d'oublier le reste. Au cours des derniers jours, j'étais trop préoccupé par ma position au marbre, ma façon de réagir contre les tirs à l'intérieur. J'ai eu un entretien avec moi-même et je me suis mis dans la tête de m'élancer comme j'en suis capable.»

Andres Galarraga
Baseball
Journal de Montréal,
29 avril 1989

Ressentir des sensations désagréables :

- Se sentir tout à coup très fatigué avant une compétition.
- Devenir nerveux, anxieux, angoissé, paniqué, gelé pendant l'action.
- Perdre le focus de la compétition, en pensant au passé ou au futur (ne pas vivre au moment présent).
- Avoir une conscience trop grande de l'environnement (les spectateurs, l'enjeu, le temps à jouer, etc.).

«Je me mets psychologiquement hors de combat au lieu de mettre mon adversaire hors de combat.»

Négatif :
«J'avais beaucoup d'appréhension. Malgré mes efforts de concentration, je pensais à mes échecs précédents. Il faut maintenant que je sois régulier.»
Boris Becker lors du Tournoi de Monte-Carlo.
Tennis
Journal de Montréal, 21 avril 1989

Négatif :
«Je subissais trop de pression, j'avais trop de trac, il y avait trop d'enjeu.
Frederic Magne
Athlétisme
L'Équipe, 6 sept. 1988

Négatif :
«Si je joue mal, ça m'énerve d'entendre le public gueuler, même s'il m'encourage. Dans ce cas-là, je crois que je joue encore plus mal.»
Pat Cash
Tennis
Tennis de France #417, Janv. 1988.

Positif :

«La principale raison de ma victoire est la simplicité. J'ai abordé la compétition comme s'il ne s'agissait que d'un entraînement au Royal Glenora.»

Kurt Browning, champion du monde de patinage artistique en 1989.

Patinage artistique
La Presse, 17 mars 1989

Positif :

«L'expérience de 1984 et celle d'aujourd'hui sont complètement différentes. La dernière fois, je m'étais moi-même battue mentalement.»

Jackie Joyner-Kersee, médaillé d'or à l'heptathlon aux Jeux olympiques de Séoul.

Athlétisme
La Presse, 25 septembre 1988

Cette liste semble très longue et harassante mais elle est réelle. Certains sportifs peuvent n'être affectés que par un seul de ces blocages intérieurs alors que d'autres peuvent être victimes de trois, quatre ou cinq blocages simultanément, durant une période ou pour la durée totale de leur carrière.

Ces blocages intérieurs créés de toutes pièces par l'esprit sont différents pour chaque individu. Et, une fois qu'un problème semble résolu, il peut très bien réapparaître sous une toute nouvelle forme. Car l'esprit analytique est tenace et il cherche constamment à contrôler et à guider vos gestes et vos pensées, ce qui enlève toute intuition et le naturel à vos actions sportives.

Rappelez-vous que «les joueurs effectuent souvent des coups spectaculaires quand ils réagissent plus vite que leur esprit [1]».

Chacun possède son propre potentiel physique, mais les blocages intérieurs que chacun s'impose font que plusieurs sportifs ne peuvent jamais exploiter au maximum leur véritable talent.

Ces blocages intérieurs sont véritablement les seuls obstacles à l'atteinte du potentiel physique que vous devriez normalement posséder par rapport à votre niveau d'entraînement physique et à votre bagage génétique (talent naturel).

La solution consiste donc à éliminer ces blocages le plus rapidement possible.

Vous devez vous découvrir en acceptant votre potentiel et en manifestant naturellement ce qui existe déjà en vous, en laissant votre corps agir à sa guise durant le match.

---

1. Gallwey, T., Gagner le match. Le Jour, Éditeur. Montréal, 1984, 237 pp.

Chapitre 2

IMAGE DE SOI

«Je suis peut-être le roi de
l'espace, mais je ne vis pas
dans les nuages... Et j'espère
me faire plus tard une place
au soleil. Réussir ma carrière
de champion n'est pas
nécessairement réussir
ma vie d'homme.
J'essaie de mettre
tous les atouts de
mon côté pour
survoler aussi
la barre quand
j'aurai quitté
la compétition.»

S. Bubka
Saut à la perche
Équipe Magazine,
3 mai 1986

L'IMAGE DE SOI EST EN RELATION DIRECTE
AVEC LA PERFORMANCE

L'image que nous avons de nous-même influence grandement notre développement et notre performance.

Elle exerce une influence sur toutes nos activités, sur tous nos sentiments et sur toutes les pensées que nous éprouvons. Cette représentation de nous-même devient notre personnage.

«*Je ne me soucie plus de savoir si on me trouve froide ou distante, ou même dure. Je cherche simplement à être moi-même. Plus on pense à la manière dont les gens nous perçoivent, plus on risque d'agir en fonction de cette opinion. J'ai compris depuis longtemps que je ne voulais pas passer ma vie à me demander ce que Chris Evert serait censée faire dans telle ou telle situation.*»

Chris Evert
Tennis
Tennis de France #419, Mars 1988

«*Je suis prêt à défendre ma couronne à n'importe quel endroit de la planète et contre n'importe qui. N'oublie pas que je suis le meilleur boxeur du monde. Le meilleur!*»

Mike Tyson
Boxe
Équipe Magazine, 25 jan. 1988

Nous nous identifions à cette image, c'est-à-dire que nous jouons un rôle dans la vie de tous les jours.

Nous projetons généralement ce que nous sentons être : «La façon dont vous marchez, parlez, écoutez, ce dont vous avez l'air, c'est vous!»

«J'aime les challenges, la compétition. Mentalement, j'en ai besoin. La boxe ne sert pas à me faire vivre, elle n'est pas une priorité. Elle est ma vie, c'est tout. Je n'ai plus d'objectif sportif. J'ai tout eu, un titre olympique, des titres professionnels dans cinq catégories.»

Sugar Ray Leonard
Boxe
L'Équipe, 10 juin 1989

«*Ma définition de l'alpinisme est toujours la même: aller jusqu'au bout. C'est moi.*»

René Demaison
Alpinisme
Montagne Magazine #198, 1988

UNE IMAGE NÉGATIVE DE SOI

Beaucoup de gens développent une image négative d'eux-mêmes en cherchant à se définir.

Ils se comparent continuellement aux autres, s'évaluent en permanence par rapport aux meilleurs et à leurs attentes.

Ils cherchent toujours à devenir ce qu'ils voudraient être. Ils développent en eux le doute, l'anxiété, l'incertitude et le stress.

«Alors, un athlète doit apprendre à jouer pour lui à travers ses succès. Au golf, quand tu es dans une bonne période c'est que tu joues pour toi. Par contre, quand ça va mal, c'est probablement parce que tu veux trop jouer pour les autres et non pour toi-même.»
Sally Little
Golf
La Presse, 22 janv. 1989

UNE IMAGE POSITIVE DE SOI

Les modifications les plus profondes dans le sport et dans la vie se produisent lorsque nous renonçons à l'image négative que nous avions de nous-même et qui freinait notre progression et nos résultats.

> «Si l'on n'est pas certain de soi, de sa préparation, ni d'avoir bien fait son métier, la chance ne viendra pas parce que, au fond de soi, on sait qu'il y a une petite lacune.»
>
> **J.-Claude Killy**
> Ski
> *Skier pour gagner,* 1981

Le champion développe une forte image positive de lui-même, il se connaît très bien et, objectivement, il s'estime à sa juste valeur, est épanoui.

> «J'ai réussi une saison comme très peu de joueuses en ont réussi dans l'histoire du tennis féminin. Je pense avoir mérité mon titre.»
>
> **Steffi Graff**
> Tennis
> *Tennis Magazine,* 1989

Il n'éprouve pas le besoin de jouer un rôle ni de se conformer aux attentes des autres.

Il ne cherche pas à se définir mais à se découvrir et à être simplement la personne qu'il est réellement.

Il accepte son potentiel tel qu'il est.

Il est concentré sur la réalisation de bonnes performances personnelles plutôt que sur les adversaires, la démonstration de l'une de ses convictions personnelles, sur l'expression de sa colère ou de son agressivité.

«Mes ambitions pour Séoul? Garder mes deux titres? Non, je ne raisonne pas com- me ça. Je ne raisonne jamais par rapport à mes adversaires, mais par rapport à moi-même.»

Greg Louganis
Plongeon
L'Équipe, 19 sept. 1988

«Je ne pense jamais à d'autres coureurs. Je pense à ma course.»
Ingemar Stenmark
Ski,
L'Équipe

«J'ai beaucoup de buts à atteindre. Je ne parle pas tellement en termes de tournois à gagner. Je pense au tennis, à mon jeu. Je veux l'améliorer encore. Gagner Wimbledon ce serait évidemment formidable, mais le plus important pour moi est de jouer le tennis dont je me crois capable. Mon meilleur tennis.»

Steffi Graff
Tennis
Tennis Magazine, 1989

> «Mon objectif est de courir comme je suis capable de le faire. Je ne pense pas à Ben, ni à Calvin Smith. Seulement à ma course à moi.»
>
> **Carl Lewis**
> Athlétisme
> L'Équipe, 22 sept. 1989

> «Ce n'est pas le désir d'être le meilleur, mais plutôt celui d'être un meilleur Colas. La volonté de me prouver à moi-même que je peux l'être.»
>
> **Alain Colas**
> Navigation
> Manvreva ne répond plus
> SIPE, 1980

> «Je ne pense pas vraiment aux records ou à mes adversaires. Ce qui m'importe, c'est donner le meilleur de moi-même. Ce qui ne veut pas dire que j'ignore mes adversaires. La concurrence sera très forte. Je le sais.»
>
> **Janet Evans**
> Natation
> L'Équipe, 23 sept. 1988

POUR DÉCOUVRIR SON IMAGE DE SOI, IL FAUT AVOIR CONSCIENCE DE SOI

UN ÊTRE UNIQUE

Le champion a réalisé que lui-même, tout comme chaque être humain, est un individu unique de par son hérédité et son environnement.

Il accepte son identité.

Il sait qui il est et en quoi il croit.

Il connaît très précisément son énorme potentiel personnel.

Il a conscience de sa valeur et ne se laisse pas diriger ni influencer de l'extérieur.

«J'aime mieux être moi plutôt que n'importe qui d'autre.» Telle est sa devise.

«Pour moi, je suis toujours le numéro 1. Maradona est unique. Cela ne veut pas dire meilleur que Guffit. Mais inimitable.

Diego Maradona
Football
L'Équipe, 23 nov. 1988

UN ÊTRE HONNÊTE ET RÉALISTE

La décision du champion est caractérisée par une grande honnêteté.

Face aux difficultés et aux échecs qu'il considère comme des épreuves normales, il développe un comportement positif pour progresser, s'améliorer et corriger ses faiblesses.

Il améliore ainsi son assurance et sa sûreté.

Il ne cherche pas d'excuses à sa défaite.

Il se concentre sur ses succès et utilise ses erreurs pour apprendre puis les rejette de son esprit.

«Après ma défaite du 100 m papillon, j'ai compris combien il fallait bien nager pour remporter une victoire.»

Matt Biondi
Natation
L'Équipe, 22 sept. 1988

«Le principal est de savoir réagir après une telle erreur.»
David Marraud
Football
L'Équipe,
11 août 1989

«Je suis à la place que j'ai méritée. Ce soir j'ai pris une leçon. Je sais l'erreur que j'ai faite et que je devrais arriver à maîtriser.»
Catherine Plevinski, après sa 4ᵉ place au 100 m papillon à Séoul où elle était donnée favorite.
Natation
L'Équipe, 20 nov. 1988

«Je n'ai rien oublié. Cela fait partie des leçons. J'en ai tiré les conclusions.»
Pierre Durand, en parlant de sa chute aux Jeux olympiques de L.A. après sa médaille à Séoul.
Équitation
L'Équipe, 5 sept. 1988

«Oui, affamée comme un ogre! Non, sérieusement, j'ai toujours la même envie de gagner. Et spécialement depuis que j'ai perdu ces deux matches aux États-Unis. Mais ces défaites m'ont peut-être aidée, m'ont mieux montré la direction que je devais suivre.»

Steffi Graff
Tennis
Tennis Magazine, 1989

«Je le reconnais, Jacquot m'a étonné. Je ne le pensais pas aussi bon, aussi fort physiquement et même aussi rapide.
Je n'ai aucune excuse à faire valoir: je m'étais entraîné durement, j'étais motivé, je n'ai jamais mésestimé Jacquot et, contrairement à la rumeur, je n'ai pas eu de problèmes de poids. Le Français a été le meilleur ce soir, c'est tout. Le verdict est absolument logique.

Donald Curry, après la perte de son titre de champion du monde super L.
Boxe
L'Équipe, 13 fév. 1989

Il est réaliste et capable de juger la valeur de ses performances ou contre-performances par rapport aux événements plus importants, tels la faim dans le tiers monde, les guerres existantes, le danger de la bombe atomique, etc.

«Au lendemain du super G, j'ai eu un petit coup de cafard. Mais, heureusement, ça n'a duré que quelques heures. Je me suis rapidement secouée en me disant qu'il y avait des choses plus importantes dans la vie.»

Carole Merle après sa médaille d'argent au super G.
Ski
L'Équipe, 13 fév. 1989

«Et puis, il y a tant de choses qui se passent sur la terre, la guerre, la famine. À côté de cela, tout paraît dérisoire!»

Mustapha David
Fauteuil Roulant
L'Équipe

«Nous, skieurs, avons une vie bien meilleure que beaucoup d'autres gens. À la maison, il m'arrive de rencontrer des personnes gravement malades. Ou même des jeunes de mon âge : c'est là que je me rends compte comment ils gagnent leur vie. Moi, je voyage d'un endroit à un autre, je fais du ski... Et si, en plus, je gagne...»

Vreni Schneider
Ski
L'Équipe 28 janv. 1989

«Il sait qui il est, d'où il vient et où il va.» Telle est sa moto.

POUR AMÉLIORER SON IMAGE DE SOI, IL FAUT AVOIR UNE BONNE ESTIME DE SOI.

L'athlète qui se sent bien réalise de bonnes performances.

Il s'accepte tel qu'il est, imparfait, changeant, évolutif et valable.

«Maintenant je sais que cela paie. Toutes mes défaites me servent; elles m'ont permis d'apprendre énormément.»
Thomas Muster
Tennis
L'Équipe

Il est fier de ce qu'il entreprend et a une saine estime personnelle de lui-même.

Il a confiance en lui et développe une attitude positive face à sa capacité de réussir.

Il accepte la responsabilité du résultat final.

«Je ferai de mon mieux. Je nagerai le plus vite possible, mais si je suis cinquième en battant mon record personnel je n'en ferai pas une maladie. Je me dirai: «Super, bravo!»

Michaël Gross
Natation
Équipe Magazine

Il a appris à réagir de manière rationnelle et sensée plutôt qu'émotionnelle.

«Quand je dis aux membres de mon équipe «il pleut, je n'ai pas envie de risquer de me briser une jambe», ils me comprennent. Au Paul-Ricard, j'avais annoncé, avant la course, que j'allais gagner. C'était un défi. S'arrêter à Silverstone parce que la course devient trop dangereuse, c'est une autre forme de défi.»

Alain Prost
Course automobile
Le Sud-Ouest, 24 juil. 1988

Laisser prendre de l'importance aux réactions sentimentales et émotionnelles lors des défaites sportives ou à cause de soucis quotidiens enlève la sagesse et la puissance de la raison.

Il a la capacité de faire calmement son autocritique, de maîtriser ses émotions, d'obtenir le calme intérieur, de se voir de l'extérieur avec les yeux des autres.

«Je suis plus vieux et meilleur. Quand on prend de l'âge, on devient plus fort physiquement. Je peux aussi mieux supporter le poids des grands événements. J'aborde les Jeux avec confiance après une bonne saison. Je suis dans la meilleure forme de ma vie.»

Carl Lewis
Athlétisme
La Presse, 21 sept. 1988

Ne vous sous-estimez pas.

«Nul ne peut être heureux s'il ne jouit de sa propre estime.»
J.J. Rousseau

> «Le titre mondial, au lieu de me mettre de la pression, a renforcé mes certitudes. Aussi je ne me considère pas comme le favori, mais comme l'un des favoris.»
>
> **Joel Bouzon**
> Penthatlon
> L'Équipe, 22 sept. 1988

POUR PROJETER UNE IMAGE DE SOI RAYONNANTE ET ÉPANOUIE, IL FAUT RÉALISER LA VALEUR DU TEMPS!

Être conscient de la valeur du temps qui ne revient pas, c'est vivre chaque jour comme si c'était le dernier, construisant pour l'avenir, apprenant du passé.

Dans la vie, il n'y a pas d'arrêt de jeu, pas de temps mort, pas de mi-temps, le chronomètre tourne toujours.

> «Je sais qu'un jour je vais arrêter de jouer et je ne veux rien regretter. Aussi je profite à fond du temps qui me reste.»
>
> **Serge Blanco**
> Rugby
> L'Équipe, 7 nov. 1988

C'est comprendre la vulnérabilité du processus de la vie.

«Nous savons qu'une fois ce jeu de la vie et de la mort commencé, il se déroulerait jusqu'au bout et nous avons engagé la partie. C'est à la nature que nous sommes venus poser des questions, non aux hommes.»

Maurice Herzog
Alpinisme
Regard vers l'Anapurna,
1951

Le champion vit chaque instant en donnant le meilleur de lui-même, en profitant au maximum, faisant et donnant autant que possible.

Il vit son sport avec passion et enthousiasme.

«Depuis mon plus jeune âge, j'ai considéré le ski de compétition comme une école de vie. Chaque déplacement, chaque course est une nouvelle aventure que je brûle de vivre.»

Vreni Schneider
Ski
Équipe Magazine, 11 janv. 1989

Chapitre 3

LA MOTIVATION POSITIVE

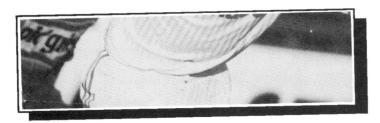

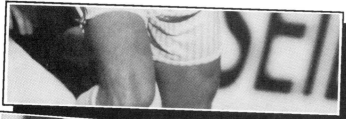

«Je n'ai que des idées positives et cela rejaillit inévitablement sur le terrain.»
Laurent Rousset
Soccer
L'Équipe,
17 nov.1988

«J'espère être en mesure de m'améliorer à chaque année. Il s'agit d'un défi vraiment excitant pour moi.»
Kurt Browning, après sa victoire aux championnats du monde de patinage artistique.
Patinage artistique
La Presse, 18 mars 1989

LA MOTIVATION POSITIVE

Un vétéran des circuits professionnels a récemment remarqué : «Imaginez que votre esprit est un pot. Jack Nicklaus s'assure que ce pot est toujours plein de pensées positives : frapper des coups précis. Les autres ont au moins la moitié du pot plein de pensées négatives du genre : ce qui peut rater dans un coup plutôt que ce qui peut réussir.» L'esprit de Nicklaus est si rempli par son travail qu'il n'y a pas de place pour les pensées négatives. Il dirige chaque mouvement vers un but précis dans des conditions où la plupart d'entre nous renonceraient. Cette capacité extraordinaire de se concentrer sur une pensée dominante – gagner – est la marque de la super étoile. Il a prouvé que si l'on se concentre pour faire très bien une chose, cette pensée prendra racine, croîtra et se multipliera en plusieurs opportunités variées [1].

La motivation est une force intérieure qui n'est pas nécessairement innée. Au contraire, la plupart des athlètes que l'on considère comme très motivés ont développé et entretiennent, jour après jour, cette importante qualité.

«Cette finale, je l'ai abordée avec une motivation suprême. Depuis quatre ans, en fait, je ne pensais qu'à ça.»
J. F. Lamour, après son 2ᵉ titre olympique à Séoul.
Sabre
L'Équipe, 24 sept. 1988

«Depuis que je tiens une raquette, je n'ai pas encore joué à ce que je crois pouvoir être mon meilleur niveau. Croyez-moi, le jour où je l'atteindrai, ce sera drôlement excitant.»
Jimmy Connors
Tennis
Tennis de France #338, Juin 81

---

1. Waitley, Denis, Attitude d'un gagnant. Un monde différent Ltée. Montréal, 1982, 198 pp.

«*On me demande où j'ai appris à jouer ainsi. Je n'ai jamais appris, mais j'ai toujours été hanté par le désir de jouer un beau et pur football. Je ne l'ai jamais imaginé autrement.*»

Johan Cruyff
Football
Joies du foot, Hachette 1973

Chaque athlète est différent : certains possèdent beaucoup de motivation, d'autres peu. Certains sont motivés positivement, alors que d'autres le sont négativement.

Par contre, un point commun réunit tous les gagnants : ILS POSSÈDENT UNE FORTE MOTIVATION POSITIVE. Parce qu'un gagnant qui ne veut pas gagner, ça n'existe pas.

«*Perdre n'est pas dans mon vocabulaire. Je suis un gagnant, dans le sport comme dans la vie.*»

Sugar Ray Leonard
Boxe
L'Équipe, 25 nov. 1988

«*Je meurs d'envie de montrer à ces gars qui est le meilleur. J'aime toujours ce sport, alors je ne vois aucune raison de m'arrêter. J'en veux toujours autant et je peux encore me défoncer et gagner.*»

Edwin Mose
Athlétisme
La Presse, 23 août 1988

«*Je veux être reconnue N° 1.*»

Nancy Lopez
Golf
Journal de Montréal, 22 mai 1989

> «Mon objectif est de faire en sorte que l'autre joueur espère n'avoir jamais à jouer contre moi. N° 1 c'est ce que je veux être.»
>
> **André Agassi**
> Tennis
> *USA Today,* 20 août 1988

> «... par la haine de la défaite. Tant que je l'aurai, il faudra me passer sur le corps. Si je joue mal, je n'ai de cesse de retrouver mon niveau d'antan. Je n'abandonne jamais. Lorsque je ramène un score de 68, je suis fou de rage que je n'ai pas fait 67. Et ainsi de suite...»
>
> **Greg Normand**
> Golf
> *L'Équipe,* 10 sept. 1988

Deux émotions font partie de la motivation : LA PEUR (qui regarde en arrière) et LE DÉSIR (qui observe le futur).

Ces deux émotions sont constamment présentes. La force des gagnants leur vient de ce qu'ils se concentrent presque exclusivement sur les solutions (le désir) plutôt que sur les problèmes (la peur).

> «Je ne vais pas m'asseoir chez moi et m'en faire à cause de cela. Je vais plutôt penser à ce que je vais faire pour reprendre le championnat l'an prochain.»
>
> **Yvan Lendl, après sa défaite contre Mats Wilander au U.S. Open.**
> Tennis
> *The Gazette,* 12 sept. 1989

«Mais un joueur de tennis ne peut pas se permettre de penser à ce qui s'est passé la semaine précédente. L'important c'est ce qui va suivre.»

Miroslav Mecir, médaillé d'or à Séoul.
Tennis
L'Équipe, 28 oct. 1988

> «Dans notre discipline, il ne faut pas regretter le passé, mais immédiatement penser à l'épreuve du lendemain.»
>
> **Joël Bouzon, champion du monde au pentathlon.**
> Pentathlon
> *L'Équipe,* 10 sept. 1988

> En réponse à la question : Tu as le souvenir d'un combat particulièrement difficile? «Aucun! Après mes combats, je pense à l'avenir.»
>
> **Myke Tyson**
> Boxe
> *Équipe Magazine,* 25 juin 1988

Les athlètes moins motivés ou motivés négativement ouvrent souvent la voie à ce qu'ils craignent le plus en ne voyant que les conséquences de l'échec, au lieu de chercher à voir les occasions et les récompenses qui se cachent souvent juste derrière chacun des risques de leur métier.

L'une des grandes différences entre un gagnant et les autres athlètes, c'est que le gagnant, lorsqu'il rencontre la peur, l'admet et fonce quand même.

«J'ai été complètement libérée lorsque j'ai réussi le triple axel au deuxième saut, car, au moment de la rotation, j'ai été inquiète, j'ai cru que j'avais perdu mon équilibre. C'est la raison pour laquelle j'ai souri après la réception. J'ai aujourd'hui patiné à 100 p. cent de mes possibilités. Mais je sais que je peux encore faire mieux. Je ne connais pas mes limites.»

Midori Ito, championne du monde en patinage artistique.
Patinage artistique
La Presse, 19 mars 1989

«Mon but est de jouer le meilleur tennis de ma vie. Je sais que j'en suis capable. J'essaye de travailler pour combattre la tension. Savoir aussi qu'on fait tout ce qu'on peut pour atteindre un but, ça contribue au bonheur. Tout le problème, c'est d'arriver à être heureux tout en étant allongé dans un milieu où règne une compétition acharnée. Ce n'est pas facile du tout, mais c'est un équilibre dont je me rapproche.»

Miroslav Mecir
Tennis
L'Équipe, 28 oct. 1988

DANS LA VIE, COMME DANS LES SPORTS, CHACUN VA VERS CE À QUOI IL PENSE LE PLUS. Il est donc essentiel, pour un athlète, de se concentrer sur ce qu'il veut réaliser plutôt que d'essayer de fuir ce qu'il craint ou refuse d'admettre.

L'auteur Denis Waitley écrit d'ailleurs cette citation très tranchante : «Les incertains ne gagnent pas. Les gagnants sont certains [1].»

---

1. Waitley, Denis, Attitude d'un gagnant. Un monde différent Ltée. Montréal, 1982, 198 pp.

«Je vais vous le dire aujourd'hui. Je sais qu'à Séoul je serai de nouveau champion olympique. Je ne dédaigne pas mes adversaires. Pourtant, après ce que je viens de faire en Europe, je ne vois pas qui pourrait me battre. Ce qui m'obsède ce n'est plus le titre olympique, c'est le record du monde.»

Roger Kingdom, avant sa médaille d'or au 110 m haies à Séoul.
Athlétisme
L'Équipe, 6 sept. 1988

Les gagnants ont tous un haut degré de motivation personnelle et c'est un choix qu'ils font. Ils se bâtissent eux-mêmes puisque leurs motivations positives font d'eux ce qu'ils sont, et vice versa.

Leur succès dépend presque exclusivement de trois raisons :

- LE DÉSIR : Ils veulent gagner et le désir apporte l'énergie et la volonté de gagner.

«C'est comme un rêve qui devient réalité. Depuis l'âge de 6 ans je pense à cette victoire.»
Jimmy Connors, victorieux à Wimbledon en 1974.
Tennis
Le livre d'or de Connors, Édition Solar 1983

«J'éprouve une espèce de besoin profond de gagner, en tout ce que j'entreprends. Je pense que c'est là un élément important dans l'étoffe de tout sportif sans lequel la marge de supériorité due au talent rétrécit au point de ne plus compter, alors que la volonté peut, au contraire, vous porter au-dessus de vous-même. Dans toute compétition entre hommes de valeur sensiblement égale, c'est celui qui possède la volonté de vaincre qui, à tout coup, devrait se retrouver au-dessus du lot.»

Mike Hailwood
Course de Moto
Mike Hailwood, Hatier 1970

-   LA CONCENTRATION : Ils se concentrent constamment sur le résultat désiré.

«Si je fais ma course à Séoul, je ne serai pas battu. Je veux la médaille d'or, j'en ai les moyens.»

Roger Kingdom
Athlétisme
L'Équipe, 12 août 1988

«Oui, mon rêve est d'être champion olympique. Aucun de mes records du monde n'égale selon moi, le titre olympique.»

Serguei Bubka
Saut à la perche
L'Équipe Magazine, 3 mai 1986

- LA PERSÉVÉRANCE : Ils donnent l'effort supplémentaire, ils essaient toujours une autre fois, ils ont acquis des habitudes de gagnants.

> «Mon attrapé le plus difficile fut celui que j'ai effectué d'une main. Je ne croyais pas être en mesure d'atteindre le ballon, mais à la dernière seconde, j'ai tendu la main.»
> **Jim Rice, proclamé joueur du match lors du Super-Bowl, 1989.**
> Football Américain
> La Presse, 24 janvier 1989

> «Mon rêve est de devenir champion olympique. Je m'entraîne pour cela.»
> **Rodion Gatauline, médaille d'argent à Séoul.**
> Saut à la perche
> L'Équipe, 30 août 1988

Mais comment se fait-il que certains athlètes soient capables de se motiver d'eux-mêmes alors que d'autres en sont totalement incapables?

Tout simplement parce que tant et aussi longtemps que l'athlète ne comble pas ses besoins DE SÉCURITÉ (une place dans l'équipe, un contrat, etc.), DE POUVOIR (savoir qu'il peut effectuer sa tâche) et D'AMOUR (reconnu et respecté par les spectateurs, les amis, la famille et ses coéquipiers), il est obligé de les rechercher à l'extérieur de lui-même par le biais de gratifications extérieures (trophées, gratifications, approbation sociale, journaux, etc.). Ce qui fait qu'il ne contrôle pas tout à fait sa situation.

Par contre, un vrai gagnant ne participe pas à un sport pour prouver qu'il est quelqu'un mais bien pour découvrir qui il est.

«Je suis content de mon tournoi. Je me suis prouvé beaucoup de choses à moi-même. Mais je suis très déçu de n'avoir pas gagné la finale. J'y croyais. Je préfère regarder vers le futur. Je suis impatient de revenir sur gazon pour oublier ce match.»
Stefan Edberg, après sa défaite en finale à Roland Garos.
Tennis
L'Équipe, 12 juin 1989

«Je suis ici pour donner le maximum de moi-même. Je n'aime pas me limiter délibérément.»
Laurent Bourgnon, vainqueur de la course en solitaire du Figaro.
Voile
L'Équipe, 5 août 1988

Dès que le désir d'un athlète passe de la gratification extérieure (récompenses) à la recherche de buts intérieurs (améliorations et/ou découvertes personnelles), il devient un athlète qui se motive de lui-même.

«Bien sûr, j'ai encore quelques besoins, mais l'essentiel, c'est de pouvoir se réveiller, se regarder dans un miroir, et se dire: «Je suis bien, je me sens bien dans ma peau.»

Jimmy Connors
Tennis
Tennis de France, Mars 1988

«Parce que le golf est l'exercice sans fin, je cherche à reculer mes limites et en golf, je ne les atteindrai jamais.»

Greg Normand
Golf
L'Équipe, 8 nov. 1988

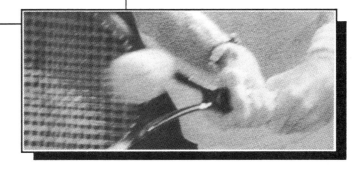

L'athlète se motive seul lorsqu'il découvre que ce qu'il recherchait à l'extérieur existe, en fait, à l'intérieur de son jeu et à l'intérieur de lui-même.

«Mon seul but est de faire le mieux possible mon métier.»

Enzo Francescoli
Football
L'Équipe, 30 juillet 1988

«Je suis un amoureux du travail bien fait. C'est comme ça pour tout. Chez moi, dans mon jardin, il n'y a pas un brin d'herbe plus haut qu'un autre.»

Dominique Drospy, après son 617e match en tant que gardien.
Football
L'Équipe, 23 juillet 1988

«Bon, je peux devenir un être meilleur. J'essaie toujours de m'améliorer. On peut tous faire des progrès... Disons que je m'aime bien, qu'il y a beaucoup de gens que j'apprécie, que j'aime ce que je fais. Mais je sais que je peux être encore mieux, que je peux me sentir mieux dans ce que je suis et dans mes relations avec les autres. Au fil des années, j'ai mûri : je me sens mieux. Il y a encore du chemin à faire, mais je me sens bien. Il n'y a rien dont j'ai honte, ou, plutôt, rien que je regrette d'avoir fait. Je suis assez satisfaite de ce que j'ai fait jusqu'à présent. J'ai commis quelques erreurs, mais j'ai pris aussi quelques bonnes décisions.»

Martina Navratilova
Tennis
L'Équipe, 25 mai 1985

Un gagnant qui possède une forte motivation positive se sert du sport pour s'exprimer. Au lieu de se servir du sport pour obtenir la sécurité, le pouvoir, la reconnaissance et le respect, il montre à tous qu'il possède déjà ces qualités en lui-même. Rendu à ce stade, l'athlète se motive facilement seul.»

Citations diverses sur la motivation positive :

«La seule place valable à ambitionner pour finir une course, c'est la première.»
Nancy Green
Ski
Autobiographie d'une championne
Hatier 1969

«La gloire est le seule chose qui ne s'achète pas. Imagine que tu sois dans un rêve et que tu veuilles arriver à quelque chose dont tout le monde a envie autour de toi mais où toi seul parvient à ce sommet.
Jaky Vinond
Moto
L'Équipe, 10 août 1988

«Tout le monde me demande ce que m'inspire le fait d'être le plus jeune champion de l'histoire de Roland-Garros. À vrai dire, rien pour l'instant, tout est trop frais dans ma tête, il faudrait que je réfléchisse et je n'en ai pas encore eu le temps. Je sais que c'est certainement un très grand honneur, que c'est la plus grande chose qui ne me soit jamais arrivée, il reste que je ne veux pas me bloquer sur ce succès. Un jour peut-être arriverai-je à réussir quelque chose d'encore plus grand. Pour l'instant, je ne veux penser qu'à aller plus loin encore plus loin.»
Michael Chang
Tennis
L'Équipe, 12 juin 1989

«*Wayne sera plus qu'un actif sur la patinoire. Sa réputation de gagneur aura des répercussions sur tous les joueurs. Wayne a déjà gagné quatre Coupe Stanley.*»

Luc Robitaille après l'échange de Wayne Gretzey aux Kings de Los Angeles.

Hockey
La Presse, 10 août 1988

«Dans chaque jour qui passe, il y a des choses positives.»

Enzo Francescoli
Football
L'Équipe, 30 juil. 1988

«... Je pense que j'ai connu les deux côtés de la chose. Mais je suis plutôt quelqu'un qui ne retient que le positif, même lors des mauvaises périodes.»

Veri Schneider
Ski
L'Équipe Magazine, 28 janv. 1989

«Steffi est n° 1, mais si on pense positif, si on pense qu'on peut la vaincre, alors on peut la vaincre. Si on entre sur le court avec un esprit négatif, on ne joue pas bien. Je vais être positive. Je vais voir comment ça va marcher.»

Arantia Sanchez, avant sa victoire surprise contre Steffi Graff à Rolland Garos.
Tennis
L'Équipe, 9 juin 1989

Chapitre 4

LA VOLONTÉ DE GAGNER

«À certains instants du match, j'étais complètement vidé. Je me suis dit : Tu dois montrer l'exemple, tu n'as pas le droit d'arriver en retard sur l'action. Alors j'ai puisé au plus profond, là où jamais je n'aurais pensé pouvoir aller.»

Laurent Rodriguez
Rugby
L'Équipe, 14 nov. 1988

QU'EST-CE QUE LA VOLONTÉ DE GAGNER?

Nous ne nous intéressons qu'à ce que nous convoitons. La volonté est une force, une puissance qui nous dirige.

Sans désir, il n'y a ni but ni action.

Une personne sans volonté est comme une voiture sans essence.

La volonté de gagner, c'est la capacité de puiser dans ses ressources d'énergie pour atteindre le but fixé.

«J'étais très dure, vraiment impitoyable. Je ne voulais pas laisser un point à mes adversaires, pas un seul point. J'étais dure à l'entraînement. J'étais dure dans les matchs.»

Chris Evert
Tennis
Tennis de France, Mars 1988

SON IMPORTANCE

La volonté est indispensable à toute réussite sportive.

Personne ne peut gagner s'il n'en a pas l'intention, s'il n'est pas déterminé à surmonter tous les obstacles qui existent entre lui et son objectif.

«J'ai tout abandonné. Ma situation d'ingénieur. J'ai tout sacrifié pour l'athlétisme. Ma passion. Toute ma vie.»
Edwin Moses, gagnant au 400 m haies de la médaille d'or aux Olympiques de 1976, 1984, et d'argent en 1988.
Athlétisme
L'Équipe, 19 sept. 1988

Tout dans la vie dépend de la volonté. Il faut dire «je veux» et non pas «je dois».

La volonté donne le pouvoir de contrôler plus d'aspects physiques et mentaux que l'on n'a jamais cru possible. Par la volonté, on fait arriver les événements.

«Il faut que je vise le titre suprême. Il est programmé. En effet, l'an dernier à Rome, je m'étais fixé comme but la médaille d'argent, je l'ai remportée. Cette année, c'est la médaille d'or que je vise et il n'y a pas de raison pour que je ne la gagne pas.»
Florence Griffith, médaillée d'or à Séoul au 100 m et au 200 m.
Athlétisme
L'Équipe, 20 sept. 1988

LE BUT PERSONNEL

Il semble que nous possédons tous une excellente raison personnelle d'agir comme nous agissons.

Les champions ont une croyance passionnée dans leur capacité à atteindre un but personnel.

«Ce que je veux, c'est être le meilleur de tous les temps. Je veux être une légende à 30 ans.»
Jimmy Connors
Tennis
Année du tennis, 1982

«J'ai toujours rêvé de ce titre suprême, car je possède tout le reste, vingt-neuf records du monde, quatre titres de champion d'Europe, deux de champion du monde, des Coupes du monde. Les Jeux, c'est quelque chose de différent, j'éprouve plus que de l'ambition, le petit plus qui fait que je vais me transcender pour réussir l'exploit pour mon peuple.»
Naïm Suleimanogu, record du monde et médaille d'or à Séoul.
Haltérophilie
L'Équipe, 16 sept. 1988

La définition de votre but personnel est un condensé de votre propre philosophie.

Le but personnel est totalement différent des objectifs spécifiques et quantifiables que chacun veut atteindre.

Connaître votre but personnel, c'est connaître les raisons qui vous poussent à vous engager autant dans le sport.

«J'ai toujours eu le sentiment d'être né pour faire quelque chose... Je suis convaincu que Dieu m'a donné le talent, et j'essaie simplement de ne pas être impatient.»

Carl Lewis
Athlétisme
Maxi-performance, 1987

«J'aimais autant sauter parce que je le faisais très bien. Quelque chose venait du plus profond de moi-même... J'avais quelque chose de positif à effectuer.»

Bob Beamon
Athlétisme
Maxi-performance, 1987

COMMENT SE MANIFESTE LA VOLONTÉ DE GAGNER?

UN OBJECTIF PRÉCIS

Les champions ont un plan clair et précis pour la vie. Ils savent où ils vont jour après jour. Ils sont sans cesse orientés vers leur objectif.

Ils ont choisi une destination, se sont tracé une route, et ils vont tout droit d'un point à un autre.

«Mon objectif essentiel reste le titre mondial après lequel je cours depuis quatre ans. Les éventuels records viendront dans le sillage des victoires.»
Ayrton Senna
Course automobile
L'Équipe, 12 août 1988

EFFORT, PERSÉVÉRANCE ET DÉTERMINATION

La volonté de gagner se manifeste par la ténacité, l'entêtement ou l'obstination à atteindre un but précis.

Elle est la garantie de persévérance dans l'effort, malgré toutes les barrières et toutes les difficultés rencontrées sur le chemin du succès.

«99,9 p. cent des gens pensaient que je ne serais jamais capable de revenir. Moi je savais que je le ferais.»
Jimmy Connors, après sa victoire à Flushing Meadow en 1982.
Tennis
Année du Tennis, 1982

UNE GRANDE CAPACITÉ DE DÉCISION

Le champion sait que ses triomphes ne doivent rien à la chance. Tous ses succès, il les doit à sa responsabilité active et aux décisions qu'il a prises.

> *«Oui, ce jour-là, c'est vrai, j'ai réellement pris tous les risques. C'était tout ou rien. Le choix était simple : skier au delà de la limite supérieure et être champion olympique ou tomber. J'ai skié au delà de cette limite, je n'ai pas tombé, j'ai gagné.»*
>
> **J. Claude Killy remporte la descente aux Jeux olympiques de 1968.**
> Ski
> *Dauphine Libéré*, 8 mars 1988

Le champion est aux commandes de sa vie, comme derrière le volant d'une voiture. Il assume l'entière responsabilité de ses actes.

Il croit à la relation de cause à effet et est intimement convaincu qu'il fait lui-même sa vie.

> *«J'ai commencé à sentir qu'il n'existait rien d'impossible pour moi si je le décidais vraiment. C'était un sentiment impressionnant de puissance, qui me faisait presque peur.»*
>
> **Bruce Jenner**
> Athlétisme
> *Maxi-performance*, 1981

Le champion décide, parce que c'est le meilleur choix pour atteindre ses objectifs. Les indécis ne réalisent pas leurs objectifs. La volonté de gagner guide vos choix avec sûreté et fermeté.

Le champion pense et agit par lui-même, jouit des avantages de ses actes et fait face à toutes les situations. Ce n'est pas ce qui vous arrive qui compte, mais la manière dont vous réagissez.

«Il faut avoir un but, des objectifs, quels qu'ils soient. Le jour où vous n'avez plus d'objectif, vous êtes mort! Je ne veux pas dire qu'il faut forcément être le meilleur. Mais on a besoin de quelque chose à viser. Que ce soit grand ou petit.»

Martina Navratilova
Tennis
Équipe Magazine, 25 mai 1985

CONFIANCE EN SOI

Le gagnant manifeste sa volonté de gagner par une confiance absolue dans ses possibilités. La confiance en soi est un sous-produit de la volonté.

Elle permet de prendre des risques en toute lucidité et sans hésitation.

> *«Pour moi, la course est jouée avant le départ. Le skieur dans le portillon de départ sait déjà s'il part gagnant ou perdant, simplement par la confiance qu'il a en lui, et surtout dans le travail qu'il a effectué avant le départ. Toutes les courses auxquelles j'ai participé, j'étais sûr de les gagner. Je ne courais que pour la première place. Les autres, et surtout la seconde, ne m'intéressaient pas.»*
> **J. Claude Kelly**
> Ski
> *Dauphine Libéré,* 5 janvier 1968

COMMENT AMÉLIORER VOTRE VOLONTÉ DE GAGNER?

PRENEZ CONSCIENCE DE VOTRE OBJECTIF PERSONNEL

Pourquoi faites-vous du sport de haut niveau? Quelle est votre philosophie personnelle sous-jacente à vos ambitions sportives?

Comprenez et connaissez le rôle de vos convictions profondes pour atteindre un objectif particulièrement important et ambitieux.

Cet objectif personnel sert de support à la définition de vos objectifs.

> *«J'ai pris la résolution de gagner un jour une médaille d'or pour moi, et pour mon pays.»*
> **Nancy Green, médaillée d'or en 1968**
> Ski
> *Autobiographie d'une championne*
> Hatier 1969

«J'ai gagné pour le Portugal, pour mon peuple, la première médaille olympique féminine quatre ans après Carlos Lopes et comme lui sur le marathon. C'est le symbole, j'en suis heureuse, le reste ne m'intéresse plus.»

Rosa Mota, lors de sa victoire au marathon à Séoul.
Marathon
L'Équipe, 29 sept. 1988

DÉFINISSEZ CLAIREMENT VOS OBJECTIFS

Le but personnel, ce contrat moral passé avec soi-même, cette force intérieure doit être canalisée; toute cette énergie doit être centrée sur un objectif clair et précis.

La pensée d'un objectif déterminé permet de dominer, d'utiliser au mieux la puissance de votre ambition personnelle.

«Wimbledon, c'était le but suprême que je m'étais fixé.»

Pat Cash
Tennis
Tennis de France #417, Janv. 1988

La pensée d'un objectif procure un grand désir de réussite ainsi qu'une grande excitation intellectuelle.

«Je m'étais préparé mentalement à frapper 15 fois la balle sur chaque point. Je voulais être patient. En gagnant ce tournoi, j'ai prouvé que je peux être un joueur de terre battue. Je l'ai prouvé au monde et je me le suis également prouvé à moi-même. Cette victoire est importante à mes yeux.»

Jimmy Connors
Tennis
Le livre d'or de Connors
Édition Solar, 1983

Définir votre objectif, c'est établir, sur la carte routière de votre vie, l'itinéraire le plus rapide et le plus sûr pour l'atteindre.

Citations diverses :

«*Perdre n'est pas dans mon vocabulaire. Je suis un gagnant, dans le sport comme dans la vie.*»
Sugar Ray Leonard
Boxe
L'Équipe, 25 nov. 1988

«*J'aimerais qu'on se souvienne de moi comme la meilleure golfeuse du monde lorsque je prendrai ma retraite de ce sport.*»
Nancy Lopez
Golf
Journal de Montréal, 22 mai 1989

«*J'éprouve une espèce de besoin profond de gagner, en tout ce que j'entreprends. Je pense que c'est là un élément important dans l'étoffe de tout sportif, sans lequel la marge de supériorité due au talent rétrécit au point de ne plus compter, alors que la volonté peut, au contraire, vous porter au-dessus de vous-même. Dans toute compétition entre hommes de valeur sensiblement égale, c'est celui qui possède la volonté de vaincre qui, à tout coup, devrait se retrouver au-dessus du lot.*»
Mike Hailwood
Moto
Hatier, 1970

«*Tout athlète sérieux doit penser à la victoire.*»
Ibrahim Hussein
Marathon.
La Presse
2 oct. 1988

«*Ce n'était pas le temps d'être timide. Je voulais gagner et je devais ajouter quelques coups à mon avance.*»
Tom Kite, champion du TPC en 1989
Golf
La Presse, 21 mars 1989

«Nous n'abandonnons jamais. C'est notre secret. Quand rien ne fonctionne, nous travaillons plus fort pour relancer l'équipe. C'est la confiance en nos moyens qui nous permet de réaliser de grandes choses. Et nous l'avons démontré dans ce match.»

Joe Montana, après la victoire au Super Bowl en 1989.

Football Américain

La Presse
23 janv. 1989

«*Chaque succès a pour moi la même saveur. Je dispute toutes les courses pour les gagner.*»

Marc Girardelli, champion en coupe du monde en 1985-86-89.
Ski
La Presse, 27 fév. 1989

LA DISCIPLINE PERSONNELLE AINSI QUE LES PLAISIRS DE L'ENTRAÎNEMENT ET DES MATCHS

«Je ne peux décrire la sensation que je ressens actuellement. Tellement de joueurs ont réussi cet exploit, des vedettes comme Jack Nicklaus et plusieurs autres! Quel moment incroyable! Je les regardais à la télévision et voilà que maintenant ça m'arrive à moi. Je vis un rêve actuellement.»
Nick Faldo, après sa victoire au Tournoi des Maîtres.
Golf
Journal de Montréal, 10 avril 1989

«J'ai commencé à m'entraîner dans ce but deux semaines après les championnats de Rome et j'y ai travaillé chaque jour depuis.»
Daley Thompson. Il tentait de remporter une troisième médaille d'or consécutive aux Jeux olympiques de Séoul.
Décathlon
Journal de Montréal, 28 août 1988

Tout sportif de haut calibre s'impose une discipline personnelle physiquement et mentalement dans le sport et dans la vie.

Il développe la capacité à s'entraîner durant un nombre d'heures impressionnant. Son hygiène de vie est souvent exemplaire.

«Cette année, je ne me suis jamais laissée aller. Je faisais gaffe à ce que je mangeais, à l'heure où j'allais me coucher. Je refusais les copains, les soirées. J'avais toujours une bonne excuse. Le plaisir viendra après. Après les Jeux, ce sera la fête.
Catherine Plevinski, médaillée de bronze au 100 m à Séoul.
Natation
L'Équipe, 20 nov. 1988

Le champion sacrifie son temps à la mise en oeuvre de tous les moyens nécessaires à la réussite de son entreprise. Ses heures sont déterminées, son emploi du temps est précis et ses loisirs sont bien planifiés.

«Personnellement, j'ai toujours eu beaucoup d'ambition. Je voulais devenir le meilleur joueur du monde et j'étais prêt à tous les sacrifices pour cela. Même quand j'ai commencé à gagner de l'argent, j'ai fait le sacrifice de ne pas en profiter tout de suite. Cela n'a pas toujours été facile, ça faisait mal quelquefois. Pour ceux qui ne sont pas assez forts mentalement pour résister à toutes les tentations que l'on a étant jeune, je leur conseille de s'entraîner comme des brutes et de voyager le plus possible pour ne jamais être chez eux. Cela dit, je crois que pour devenir un champion il faut avoir une grande force de caractère, et celui qui succombe à ses premières envies dès qu'il gagne de l'argent n'a en aucun cas l'étoffe d'un champion. Et si ce n'était pas l'argent, quelque chose d'autre l'empêcherait forcément d'arriver au plus haut niveau.»
Bjorn Borg
Tennis
Tennis de France N° 369, Janv. 1984

> «Je me suis donc lancée dans un entraînement intensif durant l'automne et le début de l'hiver 1967, afin de me mettre dans les meilleures conditions pour affermir ma volonté de vaincre. L'intention s'avéra plus difficile à réaliser que je ne l'imaginais, non pas du fait qu'il y eut une défaillance dans mon attitude mentale, mais à cause des circonstances : temps, santé, accidents, obligations.»

Nancy Green
Ski
Autobiographie d'une championne, Hatier 1969

La vie de l'athlète s'organise autour de son désir de gagner. Le sommeil, la récupération, la diététique, les moments de détente physique et psychologique sont programmés afin de lui donner les meilleures chances du succès.

> «Je prépare cette course depuis trois ans. Je n'ai rien laissé au hasard. Mon objectif est de traverser l'Atlantique en 20 jours.»

Alain Colas
Navigateur
Manureva ne répond plus, SIPE 1980

Cet aspect physique de la discipline de vie de l'athlète est le plus connu du grand public. L'entraînement mental prend le relai de l'entraînement physique.

Le champion pratique constamment l'imagerie mentale en dehors du terrain de sport. Il se voit réaliser un geste technique, gagner une compétition, il simule constamment des séquences techniques ou tactiques.

«J'aimais tellement le tennis lorsque j'étais très jeune qu'il m'arrivait de dormir avec ma raquette. Et depuis ce temps-là, j'ai toujours rêvé de devenir l'un des meilleurs joueurs du monde.»
André Agassi
Tennis
Tennis Magazine,
1989

Il travaille de l'intérieur quand il n'a rien à faire de l'extérieur. Son sport l'occupe 24 heures sur 24.

Ce style de vie paraît imposer une discipline de «fer» et des sacrifices très importants.

«Actuellement, j'ai plus d'expérience que tous les autres; c'est ce qui me donne cette supériorité. Pourtant il y a une autre raison : je m'efforce de continuer à appliquer la discipline que je m'imposais auparavant. Les autres ne s'en soucient pas et ne parviennent pas à se maintenir au même niveau. C'est, je pense, la seule différence. Je ne crois pas être plus «osé» que les autres, je calcule le risque autant que je le peux. Je pèse le pour et le contre, mais je suis comme eux, j'ai deux bras, une tête, deux jambes et je ne vois pas en quoi je suis plus avantagé.»
Mike Hailwood
Course de Moto
Mike Hailwood, Hatier 1970

Le champion ne souffre pas de cette situation, c'est son choix de vie. Cette autodiscipline ne le contrarie pas, ses privations ne lui causent aucun désagrément. Il conserve intacts le plaisir et la joie de s'entraîner.

«Le rêve le plus fou pour un joueur de tennis serait de perfectionner son jeu à un tel niveau qu'il ne perde pas un point dans un match, qu'il ne commette pas une seule erreur. Je n'ose pas dire que l'objectif que je me suis fixé se retrouve là, mais il faut travailler dans ce sens si l'on veut progresser, si l'on veut atteindre ses limites.»

Yvan Lendl
Tennis
Tennis de France #422, 1988

Il ne fait aucun effort particulier, cette volonté est en lui, son temps et ses sacrifices ne lui coûtent rien, il se donne tout entier à son objectif. Ses privations apparentes sont le résultat normal de sa passion.

«Je ressens ce besoin permanent de me fixer un objectif, et quand cet objectif est fixé je veux tout mettre en oeuvre pour le réaliser.»
Alain Colas
Navigateur
Manvreva ne répond plus, SIPE 1980

La discipline personnelle n'est pas la cause principale du succès, elle ne fait pas le champion, mais tous les grands sportifs sont disciplinés.

«On ne peut pas vivre dans le passé ou s'accrocher au succès des dernières années. Je crois que j'ai prouvé que je suis un des meilleurs gardiens de la ligue nationale. Mais à mon âge (31 ans), je dois m'améliorer tout le temps plutôt que de penser à prouver que je suis de calibre. Dans ce métier-là, il faut recommencer à zéro à tous les ans.»

Richard Brodeur
Hockey
Journal de Montréal,
16 mars 1983

«Je cherche à reculer mes limites et, en golf, je ne les atteindrai jamais.»
Greg Normand
Golf
L'Équipe, 8 nov. 1988

Cette façon de vivre renforce sa croyance et sa confiance en lui dans la réalisation de ses objectifs.

Le champion ne se prive pas, il «agit en lui».

LES PLAISIRS DE L'ENTRAÎNEMENT ET DES MATCHS

Lorsque vous pratiquez un sport avec beaucoup d'intensité, vous devez forcément passer de longues heures à vous entraîner et à jouer.

Malheureusement, deux dangers vous guettent après un certain nombre de mois ou d'années de pratique : l'ennui et la préoccupation de trop réussir.

«Non, j'ai encore envie de m'amuser. De profiter surtout des derniers instants qui me restent à vivre dans le milieu du rugby puisqu'on sait bien qu'une carrière ne dure pas jusqu'à quarante ans. Je sais que, bientôt ce sera la fin. Je tente de profiter des moments qu'il me reste à vivre. Je crois avoir conservé mes ressources physiques. Ce qui m'encourage à continuer, c'est que j'ai fait une bonne Coupe du monde à mes yeux, et que j'avais toujours envie de jouer quand j'ai repris avec mon club. Ce n'est pas une question de vieillesse, mais une question d'ennui.»

Serge Blanco
Rugby
L'Équipe, 29 juin 1988

«J'avais confiance. Je me disais intérieurement que je pouvais remporter les honneurs de ce tournoi. Je savais que je pouvais gagner. Toute la semaine du tournoi, je me suis dis que j'allais avoir du plaisir. Vous savez, je pense que je prenais le golf trop au sérieux par le passé. Cette fois, j'étais détendu.»
Scott Verplank, gagnant de l'omnium Buick, au Michigan.
Golf
Journal de Montréal, 2 août 1988

L'un ou l'autre, ou ces deux facteurs combinés peuvent faire en sorte que vous éprouviez moins de plaisir à vous entraîner et à jouer.

L'ennui fait en sorte que vous ne vous concentrez plus. Vous pratiquez ou jouez sans vous interroger vraiment sur ce que vous faites, ce qui constitue un obstacle majeur à votre apprentissage personnel ; et lorsque vous ne vous améliorez plus, vous cessez d'avoir du plaisir à participer à une discipline sportive.

«Ce n'est pas plaisant de porter l'uniforme des North Stars. Même que je n'y éprouve plus de plaisir depuis une couple d'années. La confiance est à son plus bas niveau et c'est pénible de jouer devant des foules de 6000 spectateurs.»
Dino Ciccarelli, quelque temps avant d'être échangé aux Capitals de Washington.
Hockey
La Presse, 28 août 1988

Lorsque vous vous préoccupez trop de réussir, vous ne vous amusez jamais. Et lorsque vous n'avez jamais de plaisir, vous ratez tout simplement l'objectif principal du jeu, qui est justement de s'amuser.

«J'ai eu ma leçon. Ça ne sert à rien de vouloir tirer la balle au champ gauche. Avec des hommes sur les buts, j'étais mon pire ennemi.»

Tim Wallach
Baseball
Journal de Montréal, 26 mai 1988

«Avant, je n'arrêtais pas de me dire que c'était la course où j'allais battre le record du monde. J'étais crispé, anxieux. Maintenant, je suis d'un calme à toute épreuve. Je cours, c'est tout.

Greg Foster
Athlétisme
L'Équipe, 27 fév. 1988

Il faut arrêter de penser que s'amuser signifie un manque de discipline ou de concentration.

Les vrais champions s'amusent vraiment. Comment réussissent-ils? Très simple! Ils réussissent lorsqu'ils se donnent entièrement à ce qu'ils font, en oubliant tout le reste. C'est pour cette raison que certains athlètes peuvent pratiquer et jouer des années durant sans se lasser.

«Mon enthousiasme me vient du plaisir que j'éprouve à jouer.»
Jimmy Connors
Tennis
L'Équipe, 13 juin 1989

«L'essentiel est le plaisir de conduire, et en ce moment il est optimum.»
Alain Prost
Course automobile
L'Équipe, 3 juil. 1988

«On a une grande envie de jouer et de se faire plaisir. Je crois que notre joie de jouer emporte tout sur son passage, car on se sent mieux armé que la saison dernière; forcément, on est mieux motivé et de ce fait, on ne calcule plus ses efforts.»
Bernard Pardo
Football
L'Équipe, 1er sept. 1988

«Croyez-le ou non, j'éprouve autant, sinon plus de plaisir à jouer aujourd'hui qu'il y a 20 ans. Je n'ai pratiquement jamais été blessé et, à 41 ans, je suis en meilleure forme que bien des joueurs de 24 ou 25 ans.»
Darrel Evans
Baseball
Journal de Montréal, 1er mai 1989

Lorsque votre esprit est absorbé par l'activité du moment (c'est-à-dire se donner entièrement en oubliant tout le reste), vous pouvez alors ressentir librement le plaisir naturel de jouer et de réaliser votre potentiel.

> «La compétition, pour moi, ce n'est qu'un grand moment de plaisir. J'aime me faire plaisir en battant des records ou en remportant des courses.»
>
> **Stephane Caron**
> Natation
> *Équipe Magazine,* 21 sept. 1985

> «Le plaisir de bien skier. Tout simplement. La joie par exemple de réussir une jolie course sur la «Streif», en me disant : j'ai battu tout le monde parce que j'ai su aller jusqu'à l'extrême limite de mes possibilités.»
>
> **Prieming Zurbriegen**
> Ski
> *Équipe Magazine,* 28 janv. 1989

Un bon exercice pour parer à ces deux problèmes consiste à ignorer volontairement ce qui vous attend. Qu'il s'agisse d'un entraînement ou d'un match, oubliez votre rendement des derniers matchs, oubliez les derniers exercices que vous avez faits récemment, n'ayez aucune attente face au match qui débute. Videz-vous la tête de toutes vos pensées ou jugements habituels.

> «*Vous jouez toujours bien lorsque vous êtes relaxé et que vous vous amusez.*»
>
> **Yvan Lendl**
> Tennis
> *La Presse,* Mars 1988

> «*Je me sens mieux mentalement qu'à Roland-Garros, même si, n'ayant quasiment pas arrêté depuis mon retour à Houston en avril, je ne suis pas loin de la saturation. Mais physiquement je suis bien et j'ai envie de bien jouer, de me faire plaisir.*»
>
> **Henri Leconte**
> Tennis
> *L'Équipe,* 21 juil. 1989

Vous verrez, si vous êtes de ceux qui sont habituellement victimes de l'ennui ou qui n'éprouvent jamais aucun plaisir, que le fait de vous vider la tête vous permettra de redevenir curieux. Et lorsque vous êtes curieux, vous êtes habituellement alerte.

De plus, vous n'aurez aucune limite déterminée par vos idées préconçues, aucune crainte amenée par votre esprit. Vous vous intéresserez au jeu, vous apprendrez quelque chose, et vous serez

121

satisfait de vous. Ces éléments feront en sorte que vous retrouverez le vrai plaisir de jouer et de vous entraîner.

> «Je prends plaisir à jouer, à me produire sur un court de tennis; j'aime la sensation que procure la victoire et j'aime tirer des enseignements de mes défaites... Je crois que tout le monde a ses ambitions. Être numéro un mondial, ou bien progresser autant que possible selon ses capacités. Personnellement je souhaite progresser de façon régulière, et ne jamais perdre conscience de ce qui est vraiment important, à savoir de prendre du plaisir à jouer, et de ramener au tennis, si possible, un état d'esprit nouveau selon lequel l'important n'est pas de gagner ou de perdre, mais de savoir apprécier le fait que vous soyez capable de pratiquer un tennis de haut niveau, et d'en faire votre profession.»
>
> **André Agassi**
> Tennis
> *Tennis Magazine,* 1989

CITATIONS DIVERSES :

> «Je suis plus détendu que jamais auparavant. J'ai eu du plaisir ici tout au long de la semaine.»
>
> **Lee Trevino**
> Golf
> *Journal de Montréal,*
> 7 avril 1989

«J'espère que dans le cas de Wayne, ça se déroulera de la même façon que pour moi (lors de sa poursuite du record de Ty Cobb). C'est-à-dire qu'il n'a qu'à disputer son match et à avoir du plaisir.»

Pete Rose en parlant de la course au record de Wayne Gretsky.
Baseball
La Presse, 1er mars 1989

«Si le plaisir n'était plus là, il y a longtemps que j'aurais arrêté.»
Dominique Drospy
Football
L'Équipe, 23 juil. 1988

«J'ai toujours envie de jouer du tennis, je me défonce pour ce sport que j'adore. Je ne subis pas d'usure.»
Jimmy Connors
Tennis
Journal de Montréal, 28 avril 1989

«Je suis un boxeur. Je me fais un plaisir inouï en boxant. Et c'est la chose la plus facile que je n'aie jamais faite. Je ne le ferai pas toute ma vie, mais aussi longtemps que je m'en sentirai capable.»
Sugar Ray Leonard
Boxe
L'Équipe, 5 nov. 1988

«Il y a bien d'autres choses dans la vie que de gagner. Prendre du plaisir à faire du ski, être en bonne santé... Ca, ça compte vraiment. Comme de pouvoir se lever à sept heures du matin pour aller au grand air.»
Vreni Schneider
Ski
Équipe Magazine #394, 28 janv. 1989

«*C'était une sorte de folie extrême, de délire... Une super-sensation de gagner un match exceptionnel. Je devais normalement gagner le premier set, et je l'ai perdu. Puis, je me suis retrouvée avec deux jeux de retard dans le deuxième set. Et, à partir de là, terminer par 6-0, 6-1, c'était... c'était à la fois le plaisir d'une victoire exceptionnelle et celui d'un super match. Je pense vraiment ne plus être capable de me réjouir autant d'une victoire.*»

Steffi Graff
Tennis
Équipe Magazine #376, 3 nov. 1988

« *Lorsque j'avais gagné à Roland-Garros en 1987, mon premier titre dans un tournoi du Grand Chelem, j'étais tellement heureuse! Je ne pouvais pas imaginer alors que je pourrais ressentir un bonheur encore plus grand!*»
Steffi Graff, après sa victoire à Wimbledon.
Tennis
L'Équipe, 4 juil. 1988

Chapitre 6

L'ÉQUILIBRE
ET LA RELAXATION

«J'utilise différentes techniques de sophrologie et de relaxation. Il s'agit de retrouver en match la même décontraction que pendant l'entraînement lorsque vous réussissez des coups extraordinaires. J'ai toujours accompli mes meilleures performances quand j'étais relax, cool.»

Lori McNeil
Tennis
Tennis Magazine, 1989

L'ÉQUILIBRE ET LA RELAXATION

L'une des tâches les plus difficiles à réaliser dans le sport et dans la vie en général est de conserver un bon équilibre.

Un équilibre entre l'entraînement et le repos, le travail et le jeu, le sérieux et la spontanéité, la relaxation et l'action.

Une autre tâche, qui ne le cède en rien à la précédente, serait sûrement de savoir quand et comment se relaxer.

L'ÉQUILIBRE

Nous le savons, plus nous nous sentons en équilibre, plus nous sommes relaxés et bien dans notre peau. Ce sentiment améliore automatiquement nos performances, tant dans le sport qu'au travail, ainsi qu'à l'école et dans nos relations personnelles.

Mais comment pouvons-nous trouver et maintenir cette harmonie intérieure qui nous permet d'atteindre nos meilleures performances?

Tout d'abord, il nous faut bien connaître les occupations, les gens et les endroits qui nous procurent la joie, la paix, le support et la possibilité de nous épanouir.

Tout le monde a tendance à remarquer les choses ou les gens négatifs. Mais si vous ambitionnez d'être un athlète heureux, qui a du succès, vous devez connaître les personnes et les activités qui vous permettent de vous relaxer, d'avoir du plaisir, tout en étant en équilibre et en confiance.

QU'EST-CE QUE J'AIME FAIRE?

Faites une liste des choses que vous aimez faire. Notez tout ce qui vous donne confiance et plaisir, même les choses que vous ne faites pas parce que quelque chose à l'intérieur de vous vous dit que ce n'est pas possible d'être aussi heureux.

_____

_____

_____

_____

_____

_____

_____

AVEC QUI EST-CE QUE JE ME SENS BIEN?

Maintenant, dressez la liste des gens avec qui vous aimez être. Ce sont des gens qui vous mettent à l'aise et avec qui tout est naturel et facile. Ce sont des gens qui vous encouragent et prennent soin de vous autant que vous prenez soin d'eux.

_____

_____

_____

_____

_____

_____

_____

À l'aide de ces deux listes, complétez le dessin ci-dessous, incluant autant les gens que les activités que vous y avez notés. Remplissez les cercles les plus près de vous avec les gens et les activités que vous considérez les plus importants et les plus enrichissants pour vous. Pensez clairement et profondément à chacun de vos choix.

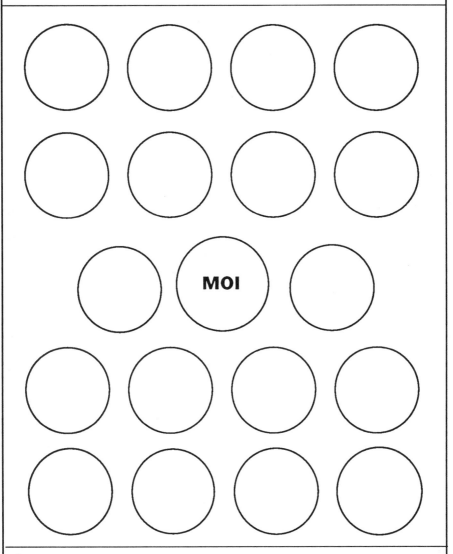

Êtes-vous surpris de quelques-unes des activités ou des personnes que vous avez incluses dans cette liste? Êtes-vous un peu étonné de voir comment vous pouvez bien vous sentir lorsque vous êtes en contact avec telle activité ou telle personne qui amène joie, relaxation et équilibre à l'intérieur de votre vie?

La prochaine décision est de vous donner la permission, au moins une fois par semaine, d'être en contact avec l'une de ces personnes ou de faire l'une de ces activités qui sont si enrichissantes pour vous. Cela signifie de prendre le temps de vous donner un cadeau qui vous relaxe, vous encourage et réduit le stress, peu importe jusqu'à quel point vous pouvez être occupé. Une fois par semaine, passez quelque temps avec quelqu'un ou faites quelque chose qui vous permet de rester en équilibre.

LA RELAXATION

Voici probablement l'un des termes les plus souvent utilisés dans le sport. Tellement souvent qu'on en oublie la signification. Combien de fois n'avez-vous pas entendu un de vos entraîneurs ou coéquipiers ou même une connaissance vous dire «relaxe, relaxe»?

«On rêve de jouer si bien sous pression lors de la dernière ronde d'un tournoi. Et c'est exactement le genre de chose qui m'a toujours empêché de bien jouer. Après l'avant-dernière ronde, samedi, j'ai décidé d'aborder la journée décisive en étant aussi détendu que possible. Je pense que je retombais dans mes mauvaises habitudes : être préoccupé par mon jeu au point d'en oublier d'avoir du plaisir. En ce sens, la ronde de samedi a probablement été celle de toute ma carrière qui m'a le plus appris.»
Scott Verplank, après sa première victoire chez les professionnels.
Golf
La Presse, 1er août 1988

Mais peu de gens vous disent pourquoi vous relaxer, où, quand et comment vous relaxer.

POURQUOI VOUS RELAXER?

La relaxation, lorsqu'elle est bien réalisée, provoque un sentiment de relation très intime (intégration) entre le corps et l'esprit.

> «*L'essentiel pour moi est que, peut-être pour la première fois cette année, le moral et le physique vont ensemble.*»
> **Ronan Pensec, avant d'attaquer son sixième tour de France.**
> Cyclisme
> *L'Équipe,* 1ᵉʳ juil. 1988

Jacobsen, qui fut probablement l'un des premiers chercheurs à s'intéresser aux bienfaits de la relaxation, déclarait qu'«un esprit angoissé ne pouvait pas coexister avec un corps détendu [1]».

L'inverse est sûrement aussi vrai. C'est probablement pour cela que la relaxation procure beaucoup d'avantages à ceux qui savent en profiter. Voici d'ailleurs une liste de ces principaux avantages :

- La relaxation profonde peut favoriser le processus de récupération. Elle peut même remplacer un peu de sommeil. Tout le monde sait que le repos constitue une fonction vitale nécessaire, sans laquelle l'athlète ne peut réussir ses meilleurs résultats.

> «*La nécessité de se relaxer au moment d'aborder des rencontres importantes. Je n'ai jamais baissé les bras dans aucun match, je n'ai jamais abandonné des points à mes adversaires.*»
> **Lori McNeil**
> Tennis
> *Tennis Magazine,* 1989

- La relaxation permet aussi de redécouvrir le plaisir du sport. Ce retrait temporaire et délibéré hors de l'activité sportive permet de se re-

---

1. Garfield, Charles A., Maxi-performance, Éditions de l'Homme, Montréal, 1987, 228 pp.

charger, pour pouvoir mieux réutiliser son énergie physique, mentale et émotionnelle.

«Au début, j'étais un peu crispé. Ensuite, je me suis relâché. J'ai mieux servi et j'ai mieux retourné. C'est ma grande rentrée après un mois sans jouer. Je suis satisfait.»
Yannick Noah
Tennis
La Presse,
1er sept. 1988

- La relaxation peut vous aider à obtenir un regard détaché sur votre environnement. Qu'on le veuille ou non, ce regard nouveau aidera à voir les problèmes moins gros et souvent sous un nouvel angle.

«Mais je crois que c'est au moment où le speaker annonçait pour la quatrième fois : «Il faut qu'elle gagne», que jaillit l'étincelle. «Que veut-il dire? ai-je pensé. Gagner n'est pas un devoir. Si je perds, ce n'est pas la fin du monde.» Et je me suis détendue. Un calme profond, merveilleux s'est emparé de moi, et pendant les deux minutes qui ont suivi j'ai eu un peu l'impression de n'être même pas à Jackson Hole.»

Nancy Green
Ski
Autobiographie d'une championne
Hatier 1969

- La relaxation aide à identifier les tensions musculaires inutiles. La contraction d'un trop grand nombre de muscles constitue la principale cause physique des erreurs commises dans les sports.

«J'étais beaucoup plus décontracté qu'en France où j'avais skié trop agressivement.»
Rudolf Nierlich
Ski
La Presse, 11 janv. 1989

- La tension excessive entraîne une rigidité qui diminue la puissance, la précision, l'équilibre et empêche des joueurs d'utiliser toute leur énergie de façon efficace. Lorsque vous êtes trop tendu, vos gestes deviennent trop réfléchis et vous manquez de spontanéité.

«À Rome, j'étais sous pression, mais cette fois, je me suis efforcé de rester calme et détendu.»
Carl Lewis, après sa victoire au meeting d'athlétisme à Zurich.
Athlétisme
La Presse, 18 août 1988

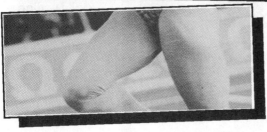

«Je sais que je peux courir encore plus vite. Je me sens très détendue.»
Florence Griffith, après son record du monde au 200 m.
Athlétisme
Le Sud-Ouest, 30 sept. 1988

- La relaxation favorise l'apparition d'images mentales positives. Ces images vous permettent de faire l'expérience d'un état positif et plaisant. Ce climat aide à la préparation psychologique, permet à votre corps, à votre esprit et à vos émotions de se régénérer.

> *«J'ai surtout appris à me relaxer pour ne pas être crispée quand j'effectue un coup. C'est très important pour moi, notamment au service. En fait j'ai travaillé surtout l'aspect mental du jeu. C'est le domaine où je continue à apprendre tous les jours.»*
>
> **Lori McNeil**
> Tennis
> *Tennis Magazine,* 1989

Il faut savoir que la dernière pensée qui vous passe par la tête au moment de vous endormir conditionne souvent toute votre nuit de sommeil.

OÙ VOUS RELAXER?

Les endroits où vous relaxer peuvent être différents à chaque fois. Ce peut être votre chambre à coucher, un coin de vestiaire, un banc d'autobus ou d'avion, une surface gazonnée, etc. Tout ce qui importe, c'est de trouver un peu d'intimité, avec le moins de bruit possible, et une position confortable.

QUAND VOUS RELAXER?

La relaxation passagère (moins profonde) peut être très efficace :

- avant l'échauffement;
- lorsque l'on apprend une nouvelle technique ou pratique une nouvelle tactique;
- avant la visualisation.

Tandis que la relaxation profonde peut être très efficace :

- après une dure séance d'entraînement;
- après un match;
- lors d'un tournoi qui est particulièrement énervant et fatigant;
- lorsque vous êtes fatigué, préoccupé, souffrant;
- avant de vous coucher.

COMMENT VOUS RELAXER?

Chaque personne possède sa propre perception de la détente. Certains se croient totalement détendus et sont surpris d'apprendre que leur cou ou leur figure sont encore contractés.

Pour cette raison, la plupart des séances de relaxation (surtout si vous n'êtes pas familier avec de telles méthodes) devraient absolument débuter par des exercices qui sont de nature à vous faire prendre conscience de la tension versus la relaxation.

La manière de respirer est aussi très importante. La respiration abdominale (ou du diaphragme) permet aux poumons de se gonfler au complet. Ce type de respiration augmente donc la quantité d'oxygène transmise au sang, améliore l'activité du cerveau droit, diminue le rythme cardiaque et, surtout, procure une sensation de détente complète.

Pour réussir efficacement la respiration abdominale, il suffit de :

- Inspirez longuement par le nez. Vous devez sentir se soulever le bas puis le haut de votre abdomen, et enfin le thorax.
- Retenez votre inspiration quelques secondes.
- Expirez, doucement, par la bouche.

Si vous êtes en position assis, soyez certain d'avoir le dos bien appuyé, les pieds à plat au sol et les avant-bras sur les cuisses. Par contre, si vous êtes allongé, ayez le dos bien à plat et les épaules un peu en arrière, les bras sont allongés le long du corps et les pieds sont écartés à la largeur des épaules. N'oubliez pas de desserrer vos vêtements (col, ceinture, souliers) pour vous sentir vraiment à l'aise.

Une séance de relaxation devrait durer (selon votre temps disponible) de 10 à 30 minutes.

- Fermez les yeux.

- Prenez, lentement quatre ou cinq respirations abdominales.

- Maintenant, mettez un peu de tension (50 p. cent de votre force) dans votre bras droit (bras gauche pour les gauchers) puis relâchez en répétant intérieurement que votre bras devient de plus en plus mou et lourd. Continuez, doucement, à faire des respirations abdominales pendant ce temps. Si la tension persiste, recommencez à nouveau jusqu'à ce que vous obteniez un relâchement appréciable.

- Refaites la même méthode pour   votre bras gauche;
                                           votre visage;
                                           vos épaules;
                                           votre abdomen;
                                           votre dos;
                                         vos cuisses;
                                         vos mollets;
                                           et vos pieds.

À la toute fin, répétez-vous, à plusieurs reprises, que vous vous sentez tout à fait détendu, mou, lourd...

Vous serez alors dans un état de repos presque total qui vous permettra de récupérer ou de visualiser avec beaucoup de facilité.

Lorsque vous jugerez bon de terminer votre séance de relaxation, respirez profondément à plusieurs reprises (jusqu'à 10 respirations).

Puis, commencez à bouger les extrémités de vos membres (soit les pieds et les doigts).

Étirez votre corps au complet, comme vous le faites le matin, pour retrouver rapidement tout votre tonus musculaire.

Enfin, imaginez l'endroit où vous vous trouvez et ce que vous devez faire, puis ouvrez les yeux.

Il est certain qu'au début la relaxation totale sera difficile à obtenir. Par contre, avec le temps, vous parviendrez à un état de relaxation de plus en plus rapidement et facilement. Comme dans toute chose, l'entraînement constant et régulier est primordial.

DEUX AUTRES MÉTHODES DE RELAXATION

Il existe différentes autres façons de se relaxer. Ainsi, le massage et les bains flottants sont considérés comme très efficaces.

LE MASSAGE

Pour un athlète, très peu de choses peuvent soulager davantage la tension, les petites douleurs physiques et les courbatures qu'un bon massage. Un masseur licencié et qualifié peut manipuler vos muscles, stimuler la circulation et apaiser les tensions et les douleurs.

Un massage complet est recommandé. Il couvre tous les groupes musculaires majeurs ainsi que les pieds, la figure, le cou et la tête.

Si vous êtes sportivement très actif, vous pourriez bénéficier d'un massage par semaine. Vous trouverez que votre corps aura plus d'énergie, bénéficiera d'un meilleur équilibre et vous pourrez mieux performer, étant donné l'élimination des courbatures et du stress.

Un bon programme de massage vous aidera aussi à éviter les blessures car vos muscles seront plus souples, plus relaxés et que leur niveau de tension sera plus bas.

LES BAINS FLOTTANTS

Ces bains en forme d'oeuf contiennent une douzaine de pouces d'eau très salée. Il est, par le fait même, impossible que votre corps cale. L'eau y est maintenue à la température du corps. À l'intérieur de certains de ces bains, vous pouvez même écouter de la musique ou encore vos propres cassettes.

Une fois à l'intérieur du bain flottant, il ne vous reste plus qu'à vous relaxer, à reposer votre corps et votre esprit. Vous flotterez sans effort et vous ne sentirez même plus votre propre poids.

Si vous vous entraînez pour un événement spécial, les bains flottants sont parfaits pour entreprendre votre visualisation. Étant donné que vous serez parfaitement relaxé (il n'y aura aucun bruit ou lumière), vos affirmations positives et votre visualisation seront beaucoup plus claires et plus intenses à l'intérieur de votre subconscient. Votre esprit sera beaucoup plus réceptif.

Lorsque vous aurez pris votre douche, vous ressentirez un relent d'énergie et éprouverez une sensation de totale relaxation. Une séance de 30 à 60 minutes toutes les deux semaines est tout à fait recommandable.

Chapitre 7

LA VISUALISATION

«Depuis l'âge de quatre ans, je savais que j'allais devenir un professionnel au tennis. Je n'ai jamais eu l'impression que l'école était la chose la plus importante. Le tennis a toujours été ma première préoccupation.»
André Agassi
Tennis
USA Today,
20 août 1988

I- QU'EST-CE QUE LA VISUALISATION?

«Je n'ai jamais réussi un coup, pas même à l'entraînement, sans avoir eu une image nette et précise de son exécution dessinée dans la tête.» [1]

Le golfeur Jack Nicklaus imagine et voit chacun de ses coups avant de le réaliser. Cette méthode s'appelle la visualisation. Visualiser, c'est créer des images mentales, c'est se regarder sur un écran qui se trouve en soi.

C'est préparer son monde intérieur (corps et esprit) à s'ajuster au monde extérieur (l'événement sportif).

La visualisation englobe des composantes auditives, émotionnelles et kinesthésiques.

Si vous visualisez un déplacement, vous vous voyez, vous vous entendez, vous ressentez des émotions et vous vous sentez bouger.

«Puis, le soir, dans ma chambre, avant de m'endormir, je revis ces séquences. Je me place devant le tir, je réagis devant la feinte de l'adversaire, je devine ses intentions, je me déplace, je couvre mes angles... comme si je jouais le match.»

Patrick Roy
Hockey
La Presse, 25 avril 1986

La visualisation est probablement le processus mental le plus largement mis à contribution dans les sports modernes.

---

1. Waitley, Denis, Attitude d'un gagnant. Un monde différent Ltée. Montréal, 1982, 198 pp.

Elle oriente les actes de l'athlète au point où certains vont jusqu'à dire «si tu peux le rêver, tu peux le faire».

II- LA VISUALISATION ET LES OBJECTIFS À LONG TERME

Nous devenons ce à quoi nous pensons le plus souvent. Nous allons inconsciemment vers cette pensée.

Cette visualisation d'un objectif final, d'un titre, d'une médaille régionale, nationale, mondiale ou olympique, procure une force intérieure qui est la base de toute réalisation. Elle permet de concentrer votre énergie physique et mentale.

C'est ce rêve visualisé qui enflamme les motivations et permet d'atteindre le sommet de ses capacités.

«Cette finale, je l'avais préparée minutieusement et j'aurais pu la jouer entièrement en rêve.»
Martina Navratilova, après sa victoire à Rolland-Garos en 1979.
Tennis
Les grandes heures de Rolland-Garos, 1981

L'imagination joue un rôle très important : elle permet de vous voir atteindre un objectif à long terme et agit comme un gouvernail subconscient.

Les champions ont une image claire, émotionnelle et sensorielle d'eux-mêmes comme s'ils avaient déjà atteint leur but.

Ils se voient dans le cercle du vainqueur, ils sentent le poids de la médaille d'or à leur cou, ils entendent les applaudissements de la foule, ils tiennent la coupe dans leurs mains.

«Je me suis étendue sur mon lit et je me voyais sur le haut du podium. J'ai presque commencé à pleurer. Mais là je me suis dit: non Carolyn, il reste encore à nager. Je me sentais bien et j'ai pu maintenir ce sentiment de bien-être.»

Carolyn Waldo, recevant la médaille d'or en nage synchronisée à Séoul.
Nage synchronisée
La Presse, 29 août 1988

Comme on peut le constater, pour les objectifs à long terme la visualisation est le plus souvent assortie d'émotions. Le champion se voit de l'extérieur.

III- LA VISUALISATION ET LES OBJECTIFS À COURT TERME

Elle se traduit pas des images précises, des sensations de l'athlète en train de réaliser sa meilleure performance.

Elle lui permet de se voir de l'extérieur et de se sentir de l'intérieur en s'imaginant exécuter le mouvement parfait puis de s'identifier à cette image.

Le mouvement et les corrections étant «programmés» par la visualisation, l'athlète peut prendre le contrôle de la situation, comme s'il était piloté par elle.

«Je ne tape jamais un coup, même lors d'une pratique, sans avoir une image précise dans la tête. On dirait un film en couleurs. D'abord, je «vois» où la balle doit atterrir, belle et blanche sur le gazon brillant. La scène change rapidement et je «vois» la balle arriver là : son vol, sa trajectoire, même son comportement sur le sol. Il y a ensuite une sorte de fondu-enchaîné et je me «vois» faire le swing adéquat pour y parvenir, le mouvement qui rendra possible une telle trajectoire. Ce n'est qu'à l'issue de cette «projection privée», que je choisis un club et vais vers ma balle.»

Jack Nicklaus
Golf
Golf : Le match intérieur, 1987

L'esprit opère comme une tête chercheuse, un ordinateur.

Il vous donne le plus souvent ce que vous lui demandez, ce que vous visualisez.

Pendant une compétition, les champions peuvent traduire en action ce qu'ils ont idéalement exécuté en imagination.

«Alors, le coup parfait sera celui qui reproduit exactement la trajectoire que j'avais visualisée.»
Greg Normand
Golf
L'Équipe, 10 janv. 1988

Visualiser, c'est aussi vous souvenir de votre meilleure performance passée dans votre sport et vous servir de cette image comme d'un modèle.

> «Je tiens un journal de chaque compétition. Grâce à la relecture de mes écrits, je décrypte mieux mon état d'esprit du moment, le pourquoi de ma forme morale. Car c'est cela qui fait le 1 p. cent de différence entre les concurrents dans le ski de haut niveau.»
>
> **Frank Picard**
> Ski
> Télé 7 jours, 19 août 1988

Pour les objectifs à court terme, la visualisation se traduit le plus souvent, pour le champion, par des images précises mais surtout par des impressions sensorielles concernant l'acte sportif. Il se voit de l'intérieur.

IV- POURQUOI VISUALISER?

Visualiser, c'est compléter votre entraînement physique afin de maximiser vos performances futures.

Une préparation mentale associée à une activité physique, rien de mieux pour unir l'esprit et le corps en vue d'un meilleur résultat sportif.

L'entraînement physique et l'entraînement mental sont complémentaires et cette association produit un entraînement complet.

LA VISUALISATION FAVORISE LA CONCENTRATION
ET AUGMENTE LA CONFIANCE EN SOI

Notre concentration augmente parce que nous sommes intérieurement disposés à ne prendre en considération que ce qui contribuera à la réalisation de ce que nous avons prévu.

La visualisation réduit l'anxiété et la tension physique, car nous diminuons ou éliminons nos «mauvaises» images mentales en créant et répétant régulièrement celles de l'exécution correcte d'un mouvement.

«Je me repose et j'essaie de visualiser des séquences susceptibles de se produire dans une rencontre. De cette façon, j'arrive à ne pas répéter certaines erreurs que j'ai commises dans le passé.»
Patrick Roy
Hockey
La Presse, 17 avril 1989

LA VISUALISATION AGIT SUR LE PHYSIQUE

Les muscles exécutent réellement les mouvements tels qu'ils sont visualisés à un niveau subliminal [1].

L'électromyographie – méthode de mesure des impulsions électriques qui déclenchent la contraction des muscles – a révélé que le muscle «suivait» véritablement l'activité motrice imaginée préalablement.

«Je visualise mentalement mon sang qui parcourt mes muscles pendant toutes mes répétitions et toutes mes poses. Lorsque je prends une pose, j'ai une image mentale de la façon dont je désire paraître. Une fois que cette image imprègne mon esprit, mon corps ne semble plus avoir qu'à l'exécuter conformément.»
Rachel McLish
Culturisme
Maxi-performance, 1987

---

1. Subliminal : qui ne dépasse pas le seuil de la conscience; subconscient.

Lorsque vous visualisez, vous envoyez des informations et des messages aux muscles par l'entremise du système nerveux.

LA VISUALISATION AMÉLIORE LE PROCESSUS D'APPRENTISSAGE

Le processus de génération des impulsions neuromusculaires qui règlent et dirigent les mouvements physiques est mis en route lors de la visualisation.

Tout se passe comme si la route reliant votre cerveau à votre muscle était déjà tracée.

Ainsi, lorsque vous allez effectuer un mouvement, les signaux envoyés par le cerveau arriveront plus vite et à la bonne destination.

Le temps de réaction est raccourci, la qualité et la précision de votre coordination physique sont améliorées.

La répétition mentale d'un mouvement crée une activité neuro-musculaire extrêmement précieuse qui réduit le processus d'apprentissage et sert de complément à la pratique des techniques physiques.

La visualisation peut aussi servir à vous faire vous souvenir et à vous faire revivre, par l'image mentale, un mouvement idéal.

> *«Je m'assieds, ferme les yeux et contemple mentalement la partie... Je parviens assez facilement à me concentrer sur les parties que j'ai déjà vues et un si grand nombre d'entre elles me paraissent tellement nouvelles que je ne m'en lasse jamais. Si j'avais un jeu en tête et qu'il ne marchait pas sur le terrain, je le répétais mentalement jusqu'à ce que je découvre ce qui n'allait pas. Si j'avais raté mon coup parce que j'avais oublié un détail important, je reprenais tout mon jeu pour le vérifier.»*
> **Bill Russel**
> Basket-Ball
> Maxi-performance, 1987

Elle permet de corriger mentalement des erreurs commises. Après chaque faute, il faut se voir mentalement faire le bon geste. En d'autres termes, on efface l'erreur et on la remplace par la bonne image.

V- CONSEILS POUR UNE VISUALISATION EFFICACE

SE RELAXER

C'est la première étape indispensable de la visualisation mentale.

La relaxation provoque une détente physique et mentale avec un esprit ouvert et réceptif. Il faut laisser volontairement le corps se relaxer et placer l'esprit dans un état serein.

Plus l'esprit devient calme et attentif, plus la performance du corps s'améliore.

Vous pouvez apprendre à vous détendre grâce aux techniques de relaxation.

Des périodes de relaxation bien placées favoriseront un progrès plus rapide.

«Je reste seul. Je ne plaisante plus. Je visualise ma course. Quand je m'élance, je sais ce que je dois faire.»
Edgar Grospiron, champion mondial des bosses.
Ski acrobatique
L'Équipe, 4 mars 1989

Lorsque vous pratiquez la visualisation pendant la compétition, relaxez-vous brièvement.

Par contre, avant ou après la compétition, commencez par une relaxation un peu plus profonde.

RESTEZ CONCENTRÉ

C'est un état de vigilance qui donne plus d'intensité et de clarté aux signaux.

La concentration procure des images plus fortes et plus nettes. Elle fournit de plus amples renseignements sur les gestes visualisés.

> «Il me fallait alors me concentrer. J'avais besoin de tous mes esprits pour apprendre le parcours par coeur. C'est là l'une des clefs pour gagner une épreuve de slalom : tout comme une machine, enregistrer dans son cerveau la position exacte de chaque porte de la piste, les angles sous lesquels ces portes sont placées, les endroits où se trouvent des bosses, où la piste est glacée, ceux où la neige est poudreuse. Ces détails doivent être si profondément incrustés dans votre mémoire qu'au moment où vous prenez le départ vous réagissez automatiquement à chaque virage, à chaque porte, à chaque angle que vous rencontrez. Il n'est pas question de penser à vos réactions pendant le parcours. C'est avant que vous vous livrez à ce travail sérieux de réflexion, pendant que vous montez.»
>
> **Nancy Green**
> Ski Alpin
> *Auto biographie d'une championne*
> Hatier 1969

La relaxation et la concentration sont toutes deux nécessaires pour visualiser efficacement.

L'ENTRAÎNEMENT

Le secret est de se fixer un but spécifique, puis de se concentrer dessus matin et soir en mots, images et émotions, comme s'il était déjà atteint.

«Je rêve des Jeux olympiques depuis l'âge de treize ans.»
Pierre Durant a remporté la médaille d'or au saut à obstacle à Séoul.
Équitation
L'Équipe, 5 sept. 1988

Il vous faut renforcer, par des répétitions, les images mentales de vos meilleures performances. Et ce, autant au stade que dans les vestiaires ou chez vous, pour que vous puissiez rapidement et sans difficulté vous en souvenir quand vous le souhaitez.

> «Le vendredi, je jouais des séquences entières de cette partie dans ma tête... J'essayais d'imaginer toutes les situations de jeu possibles et toutes les contre-attaques qu'ils m'opposeraient. Je me demandais ce que je ferais à leur ligne de cinq verges en situation de troisième essai, avec notre jeu de passes courtes qui n'était pas si bon, le mur infranchissable de leur défense et nos six points de retard...»

Frank Tarkenton
Football américain
Maxi-performance , 1987

CITATIONS DIVERSES

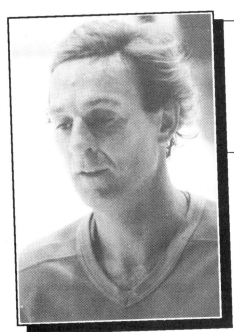

> «J'avais un rêve quand j'étais jeune et c'était de jouer au hockey dans la Ligue nationale.»

Guy Lafleur
Hockey
Journal de Montréal, 9 août 1988

> «J'aimais tellement le tennis lorsque j'étais très jeune qu'il m'arrivait de dormir avec ma raquette. Et depuis ce temps-là, j'ai toujours rêvé de devenir l'un des meilleurs joueurs du monde.»

André Agassi
Tennis
Tennis Magazine , 1989

Chapitre 8

LA CONCENTRATION

«En fait, je n'avais qu'à me concentrer sur une idée: faire mon saut afin d'obtenir la meilleure note possible. Je n'ai pensé qu'à ça.»

Elena Shoushounova, médaillée d'or à Séoul.

Elle avait besoin d'une note de 10 à sa dernière épreuve de saut pour gagner la médaille d'or.

Gymnastique

Le Magazine L'Équipe, 24 sept. 1988

La concentration est un état de VIGILANCE mais aussi de RELÂCHEMENT.

Les Orientaux, qui ont toujours excellé dans les arts martiaux qui demandent énormément de concentration, parlent souvent de «ZEN» que l'on pourrait définir à l'intérieur de cette phrase : «Lorsque vous faites quelque chose, vous le faites pleinement.» Cela vient, en quelque sorte, confirmer les quatre éléments décrits ultérieurement et que l'on retrouve constamment lorsque l'on parle de concentration.

Pour se concentrer, il ne faut pas s'appliquer de toutes ses forces ni s'obliger à se concentrer. Vous vous concentrez sur une émission de télévision lorsque vous regardez l'émission et que vous ne faites rien d'autre. Vous vous concentrez sur un match lorsque vous jouez et que vous ne faites rien d'autre. C'est simple, mais combien important.

> «Si un avion venait à s'écraser sur le stade, je pense que je ne m'en apercevrais qu'à la fin de la partie.»
>
> **Jack Snow**
> Football américain
> *Maxi-performance*, 1987

La meilleure définition de la concentration vient probablement de Timothy Gallwey qui, dans son volume Inner tennis, la décrit de cette façon :

«La concentration est un état d'esprit. L'esprit fixe son attention sur le présent. Vous vous concentrez lorsque votre esprit cesse d'errer dans le passé ou dans l'avenir, de penser à ce qui devrait ou ne devrait pas se passer, ou à ce qui pourrait ou ne pourrait pas se produire. Votre esprit ne voit alors que la réalité présente. Les enfants et les animaux se concentrent sans effort. Ils fixent leur attention sur ce qui est important dans le présent. Pourquoi avons-nous l'impression de devoir faire beaucoup d'efforts pour nous concentrer? La raison en est simple; l'esprit des adultes est trop agité et trop libre d'errer à sa guise. Lorsque nous nous concentrons vraiment, nous ne nous en rendons pas compte. Toute notre attention est centrée sur l'objet ou sur l'activité qui nous absorbe. Nous ne faisons aucun effort conscient pour conserver cet état d'esprit. Les efforts redeviennent nécessaires lorsque notre esprit se laisse distraire[1].»

Lorsque vous êtes bien concentré, la perception du jeu et la réaction au jeu s'enchaînent automatiquement sans interférence de la part de l'esprit. Cela fait en sorte que vous pouvez rester tout à fait conscient de toutes les informations concernant le déroulement du match.

Les facteurs les plus importants prennent donc constamment le dessus sur les autres. C'est à ce moment que vous devenez capable de réagir instantanément. Plusieurs athlètes qui ont vécu cet état disent que l'action semble se dérouler au ralenti. De plus, ils possèdent durant cette période, un sentiment d'invulnérabilité presque palpable.

«J'avais l'impression de pouvoir courir toute la journée sans être fatigué, de pouvoir dribbler tous les joueurs de l'équipe adverse et de pouvoir littéralement leur passer à travers le corps.»

Pélé
Soccer
Maxi-performance, 1987

---

1. Timothy Gallwey, *Inner Tennis*, Random House, 1976.

QU'EST-CE QUE LA CONCENTRATION?

Pour tous les sportifs, la concentration est reconnue comme un état d'esprit nécessaire à la réalisation d'une bonne performance.

«Il n'y a ni mystique ni magie dans la formation d'un joueur, mais d'abord la volonté, la concentration sur un but. Et la concentration, ça s'entraîne...»

B. Borg
Tennis
Année du tennis, 1979

Même si le terme est fréquemment utilisé, on peut s'apercevoir que la définition de la concentration varie beaucoup d'un athlète à un autre, que cette même concentration varie aussi considérablement d'un match à un autre et peut même être vécue différemment d'un sport à un autre.

Chose certaine, quatre éléments très simples semblent toujours présents lorsque l'on parle de concentration.

Ainsi, un athlète qui se concentre :

1. fait preuve de discipline personnelle pour fixer son attention sur un objet;

2. s'intéresse à ce qu'il fait. Un peu comme lorsque vous vous livrez à votre passe-temps favori (lecture, bricolage, télévision, etc.), vous vous concentrez automatiquement, sans effort;

3. est absorbé. Rien ne peut détourner son attention, ni les adversaires, ni les spectateurs, ni le pointage, ni le temps à jouer, ni les conditions climatiques;

4. devient en union avec le jeu. Son esprit n'intervient pas, tout devient automatique. Il est calme et perçoit l'événement, tel qu'il existe présentement.

«Je ne m'énerve d'ailleurs jamais. Je préfère me concentrer sur la balle suivante et je fais tout pour la remettre en jeu.»

Steffi Graff
Tennis
Le Magazine l'Équipe,
9 juin 1989

«Je ne me concentre que sur ma course.»
Carl Lewis
Athlétisme
La Presse, 25 sept. 1988

«Le temps n'a aucune influence sur mes performances. Qu'il pleuve, neige, vente ou qu'il fasse soleil, l'important est de bien courir.»
Vreni Schneider
Ski alpin
La Presse, 8 janv. 1989

> «Je pouvais pratiquement percevoir le déroulement du prochain épisode de jeu et l'endroit précis où le ballon allait être repris. Avant que l'équipe adverse ne remette la balle en jeu, je le sentais tellement bien que j'aurais aimé pouvoir le crier à mes coéquipiers.»
>
> **Bill Russell**
> Football américain
> Maxi-performance , 1987

COMMENT RÉSISTER À LA PERTE DE CONCENTRATION?

Il est certain que chaque athlète peut dépasser ses limites en se concentrant mieux. Cela signifie : fixer son attention sur la réalité, se laisser absorber par le présent, jouer un coup à la fois.

> «J'étais parfaitement concentré sur chacun de mes coups, et absolument tout me réussissait... Je ne pense pas avoir déjà joué une meilleure ronde de golf de toute ma vie. Je ne vois pas comment j'aurais pu faire mieux, puisque j'ai vraiment l'impression de ne pas avoir commis une seule erreur au cours de cette ronde.»
>
> **Seve Ballesteros, après avoir remporté l'omnium britannique pour une troisième fois de sa carrière.**
> Golf
> *Journal de Montréal,* 20 juil. 1988

Malgré le fait que tous réalisent l'importance de la concentration, il se produit de nombreuses situations où vous perdez partiellement ou temporairement cet atout très important dans votre jeu.

> *«Oui, j'ai ressenti une grande fatigue à l'attaque du troisième set. Je n'ai pu ressaisir ma concentration. J'ai lâché un point, un jeu, et ç'était fini. Impossible de revenir.»*
>
> **Gabriela Sabatini, après une défaite contre Steffi Graff.**
> Tennis
> *Le Magazine l'Équipe,* 12 sept. 1988

Ces pertes de concentration sont probablement la cause de la plupart des erreurs dans le sport. Les facteurs suivants en sont la cause :

1. Votre concentration se réfugie dans des facteurs extérieurs à la performance à réaliser (exemple : l'esprit vagabonde et pense à n'importe quoi).

2. Votre concentration revit dans des expériences passées (positives ou négatives).

3. Votre concentration s'oriente vers le futur (victoire, gloire, trophée, honte, peine, défaite, etc.).

4. Votre concentration est dérangée par des réactions émotionnelles (exemples : connaissance des spectateurs, peur d'une blessure, penser déjà au prochain match qui sera plus dur, etc.).

Une fois que vous aurez identifié l'endroit où se réfugie votre concentration, vous pourrez choisir le moyen que vous jugez approprié pour combattre ces pertes de concentration. En voici quelques-uns.

1. ADOPTEZ UN RITUEL TRÈS SOLIDE

Établir un bon rituel peut être très utile lorsque les distractions menacent votre concentration. Ainsi, vous pouvez choisir de répéter avec insistance une phrase clé pendant ces moments ou encore réfléchir à votre tâche ou à des gestes techniques nécessaires dans votre sport. Vous pouvez aussi, tout simplement, porter votre attention sur le maintien d'une respiration régulière lors des pauses ou des moments difficiles.

«Je ne faisais que me répéter : si la passe est dirigée vers moi, je ne l'échapperai pas, peu importe où elle sera dirigée.»
John Taylor, lors de la passe du touché de la victoire au Super Bowl de 1989.
Football américain
La Presse, 23 janv. 1989

2. RENFORCEZ L'ATTRAIT DE L'OBJET OU DU GESTE SUR LEQUEL VOUS VOULEZ VOUS CONCENTRER

Vous pouvez essayer de voir la rotation du ballon en plein vol ou la hauteur du ballon de volley-ball lorsqu'il passe par-dessus le filet. Vous pouvez essayer de ressentir votre équilibre au sol lors d'un arrêt ou d'un départ. Essayez de centrer votre attention sur un élément important de votre match. Cela empêchera votre concentration de s'envoler vers des endroits qui nuiront à votre performance.

«Je me suis simplement concentrée sur ce que je faisais. Je ne pensais pas au pointage ou à quoi que ce soit d'autre. Je faisais simplement du mieux que je pouvais.»
Kelly Douhan, championne de golf junior féminin du Canada.
Golf
La Presse, 14 août 1988

3. TRANSFÉREZ VOTRE ATTENTION VERS DES SENSATIONS AGRÉABLES

Respirez profondément, détendez vos épaules et votre front, visualisez un endroit très paisible où vous aimeriez être.

> *«Il s'agit de retrouver durant le match la même décontraction que pendant l'entraînement lorsque vous réussissez des coups extraordinaires.»*
>
> **Lori MacNeil**
> Tennis
> *Tennis Magazine* , 1989

Pour terminer, voici un exercice qui vous sera utile pour améliorer la durée et le maintien de votre niveau de concentration :

Assis sur une chaise avec le dos bien droit, placez en face de vous une photo ou un objet en rapport avec votre sport. Relâchez-vous le plus possible tout en gardant les yeux ouverts.

Demeurez cinq minutes sans bouger, en prenant note de plus de détails possibles concernant l'objet ou la photo en question. Vous devez essayer de ne jamais perdre de vue votre objectif en ne laissant pas votre esprit vagabonder ou en ne vous laissant pas distraire par un élément extérieur.

> *«Pour se préparer à un match important, Billie Jean King s'exerçait à se concentrer. Elle avait l'habitude de tenir une balle de tennis dans ses mains, de la regarder et de se laisser absorber par les détails : les coutures, les poils feutrés, la forme, la couleur, la texture. Ces détails n'avaient aucune utilité au point de vue technique, mais ils l'aidaient à se concentrer.»*
>
> **Rapporté par Timothy Gallwey dans**
> *Gagner le mach* , 1984, Le Jour, Éditeur

«Je fixe un objet, une rondelle par exemple, et je ne le quitte pas des yeux le plus longtemps possible. Aucune autre pensée que la vision de cet objet ne doit me traverser l'esprit. Si tel est le cas, je suis fautif. Je recommence à zéro.»

Clint Malachuck
Hockey
Journal de Montréal, 13 nov. 1985

CITATIONS DIVERSES

«Il faut être concentrée tout au long du match, ne jamais perdre un point.»
Lori MacNeil
Tennis
Tennis Magazine , 1989

«Si j'accorde un but, il faut que je me concentre en vue du prochain tir qu'on dirigera sur moi. De cette manière, je me sens davantage dans le match et ça m'aide à demeurer bien concentré.»
Patrick Roy
Hockey
Journal de Montréal, 18 août 1989

«Mais depuis les Jeux de Calgary, j'ai pris confiance en mes moyens et j'ai pu acquérir une grande force psychologique. Je ne me rappelle même pas ma dernière chute dans une épreuve. J'ai la capacité d'oublier et de me concentrer toujours sur la compétition à venir. Celle qui sera toujours la plus importante.»

Vreni Schneider
Ski alpin
L'Équipe, 11 janv. 1989

«Nous nous sommes dit qu'il ne fallait pas nous laisser déranger par leur performance et plutôt nous concentrer sur ce que nous avions à faire.»
Carolyn Waldo et Michelle Cameron
Nage synchronisée
Journal de Montréal, 1er août 1988

«Et une autre chose est très importante également : être très concentrée à l'entraînement. Il ne s'agit pas d'y passer des heures et des heures mais il faut réussir à se concentrer totalement une heure et demie ou deux, comme pendant un match. C'est comme ça en ce qui me concerne : dès que je suis sur le court j'agis comme s'il s'agissait d'un match. Ensuite, j'essaye de jouer aussi bien en match qu'à l'entraînement, et inversement. Dès que l'on compte les points, je me défonce vraiment.»
Steffi Graff
Tennis
L'Équipe Magazine # 376, 3 nov. 1988

«J'ai appris que je pouvais obtenir de meilleurs résultats et un classement plus régulier si je me retenais légèrement, si je me concentrais vraiment sur la piste au lieu de l'attaquer presque aveuglément.»
Nancy Green
Ski alpin
Autobiographie d'une championne
Hatier 1969

Chapitre 9

LA RÉACTION NATURELLE OU INSTINCTIVE

«Ma droite part sans que je lui en donne l'ordre, et lorsqu'elle atteint son but une sensation extraordinaire m'envahit... Quelque chose de parfait vient de se produire.»

Ingemar Johansson
Boxe
Maxi-performance, 1987

1- QU'EST CE QUE LA RÉACTION NATURELLE OU INSTINCTIVE?

Les champions, immédiatement avant et pendant la compétition, réalisent un équilibre entre leur corps et leur esprit. Ils en arrivent à un état de détente physique absent de tensions mentales.

«Si vous vous détendez et si vous pensez inconsciemment à l'épreuve à venir, vous avez toutes les chances de pouvoir nager avec 100 p. cent d'efficacité.»
Mark Spitz
Natation
Maxi-performance, 1987

Ils font confiance à leur corps. L'esprit s'efface devant le corps qui devient dominant.

Ainsi le corps prend les commandes, il est libre de toute pensée, les mouvements deviennent naturels, instinctifs, et l'esprit ne s'oppose pas et n'impose plus sa «loi».

«Ma principale préoccupation est de faire le vide dans mon esprit... Je ne pense plus à rien, et je peux ainsi penser à tout. Je fonce dans ce qu'il faut que je fonce. Je ne fais que réagir au lieu de penser.»
O.J. Simpson
Football américain
Maxi-performance , 1987

L'athlète cesse de penser à ce qu'il est en train de faire, il est entièrement concentré sur le présent.

Il vit l'instant présent sans jamais faire référence au passé ni songer au futur.

> «Je voulais tellement gagner que ma concentration a pris le dessus et je prenais les coups un à un. J'étais très motivée. J'étais tellement concentrée que lorsque j'ai constaté au tableau de pointage que j'avais réussi un compte de 66, je n'en croyais pas mes yeux.»
> **Nancy Lopez, après sa quarantième victoire sur le circuit professionnel.**
> Golf
> *Journal de Montréal,* 22 mai 1989

Son «esprit» n'interrompt pas cet état naturel par des jugements portés sur la situation, des émotions, le souvenir des erreurs passées ou des soucis à propos de l'avenir.

L'esprit est isolé, déconnecté, et n'a plus d'interférence sur le corps qui dirige seul son potentiel physique.

> «*C'était comme un rêve. J'agissais comme en état d'hébétude. Je n'ai pas pensé un seul instant.*»
> **Jim «Catfish» Hunter, après sa partie parfaite en 1968.**
> Baseball
> *Maxi-performance,* 1987

Le champion vit dans le présent, sans pensée ni analyse, en pilotage automatique. Le corps agit comme un ordinateur qui donne toujours les bonnes réponses motrices.

«J'ai pris quelques risques et j'ai laissé mes skis faire le reste. C'est ce qu'il faut faire en super-G. Il faut à la fois prendre des risques et se laisser aller.»
Kendra Kobelka, championne canadienne en super géant.
Ski
La Presse, 21 mars 1988

Plusieurs auteurs d'ouvrages traitant de la psychologie sportive donnent un éclairage supplémentaire.

Dans *Maxi-performance*, Charles A. GARFIELD, dans son chapitre sur la réaction instinctive, écrit :

«Lors des derniers instants précédant l'une de leurs réalisations, les athlètes accomplis induisent, consciemment ou inconsciemment, un état mental proche de l'amnésie dans lequel ils perdent toute pensée consciente de tout ce qu'ils ont pu apprendre sur la manière d'utiliser leur esprit et leur corps. Certains athlètes décrivent cet état comme une «sorte de transe», et «pilotage automatique» ou comme «une réaction instinctive»[1].»

«J'ai joué avec mon instinct et avec mes tripes. Je veux obtenir le record de 50 victoires consécutives.»
Martina Navratilova après sa quarante-sixième victoire consécutive sur gazon.
Tennis
Journal de Montréal, 30 juin 1988

---

1. GARFIELD, Charles A., *Maxi-performance*, Les Éditions de l'Homme 1987, 228 p.

Dans *Tennis et Concentration*, une étude intéressante sur la réaction naturelle ou instinctive, Timothy Gallwey écrit :

«Lorsqu'un joueur de tennis est entièrement «dans son jeu», il ne pense pas à l'endroit ou au moment où il va frapper la balle, ni même à la manière dont il va la frapper. Il n'essaie pas de la frapper, et, après son coup, il ne pense pas aux défauts ni aux qualités de son contact avec elle. La balle semble avoir été frappée grâce à un processus entièrement automatique ne nécessitant pas l'intervention de la pensée. Le joueur peut voir consciemment la balle, l'entendre, la percevoir, et même l'intégrer dans une de ses tactiques de jeu; mais on dirait tout simplement qu'il sait ce qu'il doit faire, sans avoir besoin d'y penser [1].»

«Je me sentais très satisfaite, car je savais que j'exprimais tout mon potentiel et que je manifestais tout ce qui existait déjà en moi. J'étais désolée pour Evonne, mais je ne pouvais pas m'empêcher de jouer de mon mieux! **Billie Jean King, après une victoire contre Evonne Goolagong.** Tennis Maxi-performance, 1987

1. GALLWEY, Timothy, *Tennis et Concentration*.

Selon Gallwey, c'est grâce à la faculté que possède l'athlète de se concentrer totalement sur le présent qu'il en arrive à cet état.

> *«J'ai décidé de jouer point après point. J'ai été étonnée de voir que j'avais aligné neuf jeux de suite.»*
> **Steffi Graff**
> Tennis
> L'Équipe, 4 juillet 1988

Le joueur «voit les événements tels qu'ils sont sans leur ajouter quoi que ce soit». Il ne se juge pas, ne se critique pas durant le jeu.

Par contre, l'envahissement de son esprit par des pensées négatives constitue l'obstacle majeur à la concentration sur le présent.

Pour l'auteur, voici les quatre principales raisons de la domination dévastatrice de l'esprit sur le corps * :

1- «L'athlète fait des efforts trop violents en agissant sous l'impression que plus il se bat durement, meilleur sera son résultat.»

2- «L'athlète se soucie trop des erreurs passées, et la peur de les renouveler inhibe ses performances. Ses muscles se raidissent et ses gestes deviennent hésitants et mal assurés.»

3- «L'athlète est entièrement submergé par le souci du résultat, ce qui rend ses mouvements trop prudents, impatients ou mécaniques.»

4- «L'athlète est intellectuellement surexcité et il oublie que les meilleures performances sont spontanées et naturelles. Sa surexcitation devient une source de tensions, et il perçoit chacune de ses actions comme un acte de vie ou de mort. La qualité des performances de l'athlète est menacée s'il est angoissé par l'obligation d'effectuer le bon mouvement et de contrôler le moindre de ses gestes.»

La réflexion intellectuelle et l'analyse permettent de favoriser l'apprentissage et le perfectionnement lors de l'entraînement.

---

* Pour plus de détails, référez-vous au chapitre 2 qui traite des obstacles intérieurs.

Mais si le raisonnement interfère pendant la compétition; il engendre des blocages qui sont parfois catastrophiques pour le résultat sportif.

Maurice D. PRESSMAN, dans Maxi performance[1], commente les études réalisées par l'Association pour l'amélioration du potentiel sportif.

«L'hémisphère dominant du cerveau (le gauche, chez les droitiers) est spécialisé dans la pensée, le langage, le sens du détail dans un ensemble structuré plus vaste, D'autre part, l'hémisphère non dominant est beaucoup plus spécialisé dans la perception globale des mouvements, des idées, des ensembles. Par conséquent, l'inhibition ou la suspension momentanée des fonctions de l'hémisphère gauche permet à l'hémisphère droit de prendre le contrôle... Dans un état de concentration de la conscience, l'imagerie mentale est donc plus réaliste, le renforcement des schémas plus efficace et le développement des attitudes positives beaucoup mieux assuré... En outre par la diminution de l'excès de tension... nous détendons nos muscles, ce qui permet l'exécution plus libre des mouvements. Nous pensons que, pour autant que nous suspendions les fonctions de notre cerveau gauche, nous permettons à notre personnalité de se manifester inconsciemment et avec une meilleure coordination.»

La réaction naturelle ou instinctive s'obtient par la prédominance du cerveau droit (corps) qui favorise une concentration sur l'instant présent.

Les données accumulées, les images et sensations des mouvements enregistrées dans la mémoire de l'ordinateur du corps entrent en fonction avec une efficacité extraordinaire si l'esprit coopère en demeurant en retrait, calme, vigilant et attentif.

«Je me suis tellement répété, à force d'entraînement, ce que j'étais supposé faire, que mon corps travaille pratiquement de lui-même.»
Florence Griffith Joyner
Athlétisme
L'Équipe Magazine, 10 déc. 1988

---

1. GARFIELD, Charles A., *Maxi performance*, Éditions de l'Homme, Montréal, 1987, 228 pp.

Par contre, si l'esprit décide d'intervenir, de penser, d'analyser, de corriger en donnant ses directives, ses impressions, il entraîne le doute et des réactions émotionnelles qui conduisent à une baisse de performance.

II- COMMENT OBTENIR LA RÉACTION NATURELLE OU INSTINCTIVE?

Ou comment obtenir, lors des compétitions, la «prise de contrôle des opérations» par votre cerveau droit qui dirigera avec précision vos gestes sportifs et la «mise en panne» de votre cerveau gauche qui perturbe vos performances?

Comment faire pour que les automatismes de l'athlète prennent le dessus et que l'intervention de l'esprit, de la pensée analytique, reste faible?

«Parfois sous la pression, on fait des gestes dont on ne se souvient même pas une heure plus tard.»
Mike Liut, après avoir été choisi le joueur du match d'étoiles de la Ligue nationale de Hockey.
Hockey
La Presse, 12 janv. 1981

SE RELAXER

Obtenir naturellement, ou par des techniques de relaxation, un état de calme général aussi bien physique que mental.

Un physique détendu correspond à la sensation que tous les muscles sont relâchés.

Une mental détendu provoque une impression de grand calme intérieur sans aucune intervention de pensées négatives.

«Je me sens relax. Je me sens comme... Vous savez, quand vous conduisez une voiture sur l'autoroute: vous vous sentez relâché si vous voyez le monde bouger autour de vous. Ça ne semble pas réel. Vous voyez les silhouettes des arbres, et de tout le reste. Et vous vous sentez bien. Vous ne savez pas exactement ce qu'il y a autour, mais vous sentez en revanche parfaitement ce qu'il y a à l'intérieur de vous. Ça, c'est ce que j'aime vraiment. C'est une impression super quand vous courez bien. En revanche, lorsque vous courez mal, l'impression est abominable, terrible...»

Carl Lewis, décrivant une de ses courses.
Athlétisme
L'Équipe, 24 juin 1988

VISUALISER L'ACTE SPORTIF

Créer des images nettes et ressentir des sensations précises des gestes que vous allez faire (voir le chapitre sur la visualisation et les objectifs à court terme).

«Je comparerais cette impression à un état de rêve – pas un état de rêverie – à cette sorte d'état de détachement atteint par un grand musicien lorsqu'il joue la note finale d'un grand concert.»
Arnold Palmer
Golf
Maxi-performance, 1987

178

SE CONCENTRER SUR L'INSTANT PRÉSENT

Voici ce que Charles A. Garfield, dans *Maxi-Performance*, propose à cet effet :

«Apprendre à être attentif aux messages de vos cinq sens et à la qualité de ce que vous percevez plutôt qu'à l'interprétation que vous faites de sa signification constitue la clé de la concentration réussie sur le présent.»

«Si votre environnement est bruyant, concentrez-vous sur la qualité des sons plutôt que sur leur signification. Orientez votre attention sur les couleurs, les matières, l'éclat... etc. Agissez pareillement avec les autres sens [1].»

Les réactions naturelles ou instinctives conduisent à des performances extraordinaires. La plupart des grands athlètes ont, un jour où l'autre, ressenti cette sensation. Tous, sans exceptions, en parlent et voudraient la revivre le plus souvent possible.

Laissons le professeur John Salmela, de l'Université de Montréal, nous décrire l'une de ces réactions naturelles. Il a assisté à des séances d'hypnose ayant pour sujet la skieuse canadienne Kathy Kreiner.

«Après sa conquête d'une médaille d'or, nous voulions savoir ce que vivait l'athlète durant sa performance. Nous avons été étonnés de découvrir qu'elle éprouvait une certaine amnésie des événements, partielle ou totale. Lors de son exploit, Kathy avait été comme en transe et ne gardait aucun souvenir de sa descente. Plus encore, elle avait éprouvé une distorsion du temps, n'ayant aucun souvenir de la durée. Au sommet de l'effort, il y avait eu absence totale de douleur, même quand l'organisme était en dette d'oxygène. Elle se rappelait seulement s'être fiée à ses acquis et à ses instincts, en se laissant aller complètement. Rendue à ce stade, l'athlète est complètement détaché de la réalité. Sa performance ressemble à un rêve et agit sur l'individu à la façon d'un narcotique.»

John Salmela
Psychologie sportive
Journal de Montréal, 21 janv. 1986

---

1. GARFIELD, Charles A., *Maxi-performance*, Les Éditions de l'Homme 1987, 228 p.

MAINTENIR SA FORME MENTALE LORS D'UNE BLESSURE

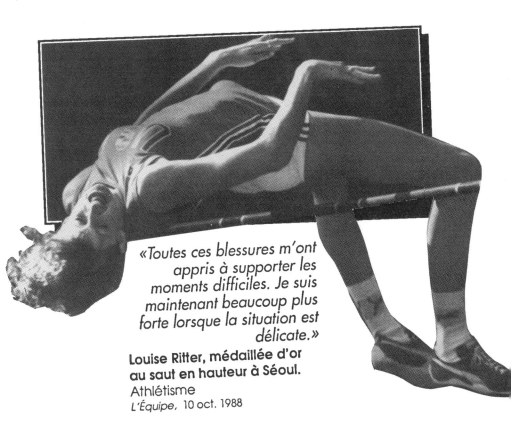

«Toutes ces blessures m'ont
appris à supporter les
moments difficiles. Je suis
maintenant beaucoup plus
forte lorsque la situation est
délicate.»
**Louise Ritter, médaillée d'or
au saut en hauteur à Séoul.**
Athlétisme
L'Équipe, 10 oct. 1988

Être blessé lors d'un match ou d'un entraînement est probablement l'un des aspects les plus difficiles à accepter et à vivre pour un athlète.

«Cet accident m'oblige à un nouveau défi, contre le sort. Je m'en serais bien passé. Le plus douloureux, ce n'est pas sur le vélo, mais en montant dessus et en descendant. Je dois absolument surmonter cette épreuve. Il le faut.»

Jeannie Logo, victime d'une blessure juste avant les jeux de Séoul.
Cyclisme
L'Équipe, 8 janv. 1988

Pendant la période de réadaptation consécutive à une blessure, l'athlète passe à travers différentes sensations.

- Il a souvent l'impression d'avoir perdu son endurance et sa force physique.

- Il craint de perdre les avantages qu'il possédait au sein de l'équipe ou sur ses adversaires.

- Il voit les autres s'entraîner fort, jouer, avoir du plaisir et redoute de ne pas pouvoir y participer.

> «Dans ces cas-là, on se pose tout un tas de questions qu'on n'imaginerait même pas quand tout va bien. Le doute s'insinue et il est très difficile de s'en sortir.»
> **Laurent Blanc, victime de blessures successives.**
> Football
> L'Équipe, 28 juil. 1988

> «Au début, même si on a mis toutes les chances de son côté, on s'inquiète du succès de l'intervention. Quand on est finalement rassuré là-dessus, le pire commence. À ce moment, on s'inquiète de son retour à l'entraînement. On se demande si l'on pourra retrouver le sommet de sa forme. Cette inquiétude est toujours présente. Au fond, on connaît la réponse, on sait bien qu'il suffit de se montrer patient. Mais on s'inquiète quand même.
> Il y a dix ans que je me fais du souci. J'étais inquiet quand j'ai été blessé au genou, puis à l'épaule; je suis inquiet chaque fois que je rentre d'Europe et qu'il me faut réapprendre à jouer sur surfaces dures.»
> **Yvan Lendl, après une opération à l'épaule.**
> Tennis
> La Presse, 5 déc. 1988

Que peut donc faire un athlète pour combattre, pour faire face à ses sentiments d'impuissance et de frustration?

Il est plus que jamais important d'avoir un programme d'entraînement mental pour ne pas perdre, en quelques semaines, tout ce que vous avez acquis durement depuis des mois et même des années d'entraînement (ex.: votre goût de jouer, votre agressivité, votre discipline lors des matchs et dans la vie, votre force mentale, votre attitude positive, votre goût de gagner, etc.).

«J'ai été renversé.» *«Greg LeMond – le cycliste américain, gagnant du Tour de France, victime d'un grave accident de chasse – parlait de sa préparation. Il avait confiance en ses moyens, il progressait, mais il était néanmoins angoissé. J'aurais cru m'entendre parler.»*
Yvan Lendl, après une opération à l'épaule.
Tennis
La Presse, 5 déc. 88

Tout le monde connaît le pouvoir des images mentales positives dans le processus d'autoguérison. De grands malades se sont guéris eux-mêmes, en dépit de toute attente médicale, à cause de leur approche mentale obstinément positive face à leur maladie. La littérature médicale ou psychologique nous fournit, d'ailleurs, le récit de cas fascinants.

Sans regarder du côté de ces cas extrêmes, il est tout de même important de vous créer des images mentales de nature à projeter des résultats futurs positifs durant toute la période de votre réadaptation.

On a découvert que la peur inconsciente de la douleur, la frustration et les pensées négatives peuvent réellement réduire la circulation du sang dans un endroit traumatisé du corps, ce qui a pour effet de maintenir la tension, le stress et de réduire l'élimination des toxines.

«*Tout allait mal. Pendant trois saisons, j'ai vécu des moments d'angoisse. Je n'étais plus capable de retrouver ma prise sur le bâton que mon père m'avait pourtant si bien enseignée. Je jouais mal, mais il y avait plus. Je me demandais ce que je faisais dans ce sport que je n'étais plus capable de pratiquer. Après deux opérations, j'éprouvais des problèmes à retrouver ma cohésion, ma concentration. Je me demandais pourquoi faire tant d'efforts pour reprendre ma place, pourquoi ne pas essayer de faire autre chose. J'avais peur que la maladie empire et je me disais : pourquoi me soumettre à un stress si éprouvant.*»*

Sally Little
Golf
La Presse, 22 janv. 1989

Par contre, la visualisation stimule votre esprit et votre corps à créer une intention générale de guérison. Dès que vous avez réussi à contrôler vos pensées (ce qui n'est pas toujours facile), vous avez entrepris le processus qui consiste à vous voir dans le futur, en forme et en santé.

CITATIONS DIVERSES :

«*J'ai beaucoup souffert de cette opération. Moralement, cela m'a beaucoup apporté puisque je n'ai jamais flanché et cela m'a appris à être beaucoup plus rigoureux.*»

Jose Toure
Football
Équipe Magazine, 25 fév. 1989

«Cette blessure a nui simplement à mon jeu sur les verts. Je commence seulement à m'en remettre. Je manque encore un peu de coordination. Toutefois, ma concentration est parfaite. En d'autres mots, ce repos m'a été plus que bénéfique.»

Greg Norman
Golf
Journal de Montréal, 31 août 1988

«Je suis convaincu que mon bras va me faire souffrir pendant de longues semaines encore; mais lorsqu'on arrive à la piste, on a tendance à oublier les souffrances.»

Danny Sullivan
Course automobile
Journal de Montréal,
21 mai 1989

> «Moi aussi, je fus très ému, mais j'arrivai à me faire à la raison que la course comportait des risques et qu'il fallait les accepter. Si l'on passe son temps à remuer sans cesse de telles pensées et à se faire du souci, on ne peut plus faire grand-chose de bien. On doit chasser toutes ces pensées de son esprit au plus vite et s'efforcer de ne plus y songer. On vit toujours dans une marge située entre la vie et la mort et des soucis supplémentaires risquent de nous faire perdre la concentration qui nous maintient.»

Mike Hailwood
Course de Moto
Mike Hailwood, Hatier 1970

Différentes techniques d'autoguérison sont possibles et, peu importe celle qui est utilisée, il faut s'assurer d'inclure le plus d'informations si l'on veut créer un portrait le plus fidèle possible de la situation future désirée. Soyez spécifique et concret en ce qui concerne votre cas.

MÉTHODE I : ÉCRIRE SON OBJECTIF ET L'ENTOURER D'AFFIRMATIONS POSITIVES

Pour créer votre propre programme d'entraînement mental concernant votre blessure, commencez par vous fixer un objectif de guérison personnel*.

Exemple : Je veux revenir au jeu dans quatre semaines. Je veux être fort et être capable de m'entraîner avec un corps en parfaite santé d'ici quatre semaines.

---

* Cet objectif personnel doit être logique et conséquent avec le diagnostic du médecin qui vous traite.

Puis, écrivez cinq affirmations positives qui sont en rapport direct avec votre objectif de guérison.

Exemple :
- Je joue sans aucune douleur.
- Je suis tout à fait en bonne santé.
- Je guéris de plus en plus rapidement à chaque jour.
- Je suis fort et endurant.
- Je peux pousser à fond sans aucune douleur.

N'hésitez pas à écrire ces affirmations sur des cartes et à les afficher à des endroits où vous êtes certain de les voir très souvent. Chaque fois que vous les voyez, n'hésitez pas à vous les répéter mentalement.

Votre objectif et ces affirmations vont changer votre focus qui se trouve, trop souvent, orienté vers la frustration, la douleur, la peur, etc.

Très bientôt, vous constaterez un changement dans votre langage intérieur. N'oubliez pas que les objectifs et les affirmations positives exercent un énorme pouvoir mental positif.

MÉTHODE II : VISUALISER SES PERFORMANCES PASSÉES ET FUTURES

Durant vos temps libres, il peut être très utile pour vous de revoir vos performances passées ou même d'imaginer des compétitions à venir. Tout ceci dans le but de rester en contact, tout au moins mentalement, avec votre sport.

Commencez toujours ces séances de visualisation par une bonne relaxation. Il semble en effet que les images mentales produites en état de relaxation soient beaucoup plus précises et plus stimulantes. Les moments privilégiés de la journée sont certainement le matin avant de se lever et le soir juste avant de s'endormir.

- Comme toujours, soyez précis et spécifique par rapport à votre cas. Imaginez-vous mentalement en train de vous entraîner à améliorer votre forme physique et votre technique. Revivez certains exercices qui vous plaisent particulièrement.

- Imaginez-vous aussi à jouer exactement comme vous le souhaitez, c'est-à-dire sans douleur, sans peur ni faiblesse, mais avec force et endurance. Imaginez une compétition où vous vous voyez bien jouer et gagner. Il est important d'inclure dans votre visualisation le plus d'indices visuels, auditifs et kinesthésiques possible pour créer un portrait et des sensations on ne peut plus réels.

- Dans la même veine, vous pouvez aussi regarder des vidéos de certains de vos bons matchs et vous imaginer en train de jouer en ce moment même.

- Vous pouvez aussi assister à l'entraînement de vos coéquipiers. Mais au lieu d'être un spectateur passif, agissez comme un entraîneur qui analyse chaque joueur en ce qui a trait à la forme physique, l'intensité au travail, sa force ses faiblesses, etc.

Tout ce travail mental vous aidera énormément car vous serez obligé de focaliser sur le présent au lieu de penser à vos frustrations et problèmes. De plus, passer à travers cette étape positivement vous aidera à devenir plus fort personnellement.

MÉTHODE III : VISUALISER LA BLESSURE ELLE-MÊME

Une autre méthode consiste à visualiser la blessure elle-même. À travers l'image mentale, il est possible de changer les messages physiologiques qui sont transmis au corps. En effet, il a été prouvé que les images mentales peuvent faciliter et accélérer la vitesse et l'efficacité du processus de guérison (*Healing From Within*, Dennis T. Jaffe, Knopf, 1980).

Pour cela, il faut commencer par une période de relaxation, puis créer une image mentale de la blessure, L'image peut être très technique ou simple et imagée. Ce qui compte, c'est que cette image doit représenter ce à quoi vous pensez que cette partie de votre corps ressemble vue de l'intérieur.

Lorsque cette image est bien précise, commencez à visualiser un processus qui fait en sorte que la partie blessée commence à guérir. (Laissez votre imagination travailler : elle peut produire une source lumineuse autour de la blessure et faire que la blessure devienne de plus en plus petite. Créez un intermédiaire qui parle directement à la blessure pour lui expliquer le traitement que l'on va effectuer pour la guérir, etc.

Une bonne image de guérison devrait immédiatement vous procurer une sensation de bien-être.

Maintenez cette image dans votre esprit pendant cinq à dix minutes, deux ou trois fois par jour. Cette méthode est supérieure à celle qui consiste à contracter ses muscles à la moindre douleur, à être agressif ou désespéré ou à prendre un analgésique dès que la douleur s'amène.

Plutôt que d'être passif ou de travailler contre vous, essayez d'activer vos pouvoirs de guérison qui sont latents à l'intérieur de vous.

Ces techniques, pratiquées chaque jour, créeront un environnement mental qui vous aidera à vous relaxer, autant physiquement que mentalement. De plus, elles diminueront vos réactions de peur face à la douleur et rendront votre retour au jeu plus facile.

Le principe est simple et efficace. Toutes ces méthodes sont de nature à aider un athlète à triompher de toute résistance normale qui se présentent lors d'une blessure.

Une fois ces résistances vaincues, l'athlète peut avoir un bon focus sur la guérison, le retour au jeu et les compétitions futures.

Se voir guérir et en santé est le premier pas nécessaire à une rapide récupération.

QUE FAIRE LORS D'UNE BAISSE DE PERFORMANCE?

«Lorsque vous êtes dans un creux de vague comme ça, vous n'avez qu'à continuer d'essayer... Continuez d'essayer jusqu'au jour où vous retrouvez votre mouvement habituel.»

Yvan Lendl
Tennis
USA Today, 5 mai 1989

Si votre performance s'amenuise, il est important d'observer attentivement votre santé physique. Votre corps est-il capable d'offrir des performances maximales?

Voyez d'abord si vous n'avez présentement aucune blessure, rhume ou infection.

Peut-être prenez-vous de nouveaux médicaments? Avez-vous récemment modifié vos habitudes de manger, de boire ou de dormir?

Si un facteur physique est identifié, vous devez absolument le régler en premier. Parce que, aussi longtemps que vous n'êtes pas physiquement en parfaite forme, les performances maximales ne peuvent se produire, peu importe votre préparation mentale.

Si après toutes ces observations vous jugez que les facteurs physiques n'ont aucune relation majeure avec votre baisse de performance, vous devez accepter le fait que cette baisse est imputable à des facteurs mentaux. Et lorsque des facteurs mentaux sont responsables, il est profitable de suivre les étapes suivantes :

ÉTAPE 1

Il faut accepter le fait que toutes les baisses de performance sont le résultat de nos attitudes, de nos croyances et de notre niveau de confiance actuel. Elles ont pour effet de diminuer grandement notre niveau d'éveil, d'augmenter notre seuil de frustration et d'intensifier en nous un sentiment de faiblesse et de culpabilité. L'important à ce stage est de s'engager personnellement en vue d'un effort de recyclage psychologique.

«*Je n'ai pas tellement envie de gagner en ce moment.*»
Jean-Marc Chouinard après s'être fait sortir au premier tour aux Jeux olympiques de Séoul.
Escrime
La Presse, 28 sept. 1988

195

> «Je ne suis pas très heureux. L'année a été difficile pour moi. Mais je dois l'accepter. Si je pleure parce que j'ai renversé un peu de lait, je n'accomplirai jamais rien de bon.»
>
> **Yvan Lendl en parlant de son année 1988.**
> Tennis
> La Presse, 12 sept. 1988

ÉTAPE 2

Si c'est possible, prenez un repos en modifiant votre horaire d'entraînement habituel. Cela peut être très utile au début pour briser la «spirale négative».

ÉTAPE 3

Faites un effort conscient et délibéré, tous les jours, pour avoir du plaisir lors de vos séances d'entraînement afin de renouveler votre enthousiasme et votre excitation à jouer. Révisez vos buts et objectifs personnels. Pour mettre un frein à la baisse de performance, vous avez besoin de renouveler votre motivation et votre désir de jouer car ceci amène toujours un haut niveau d'énergie positive.

> «Mes sentiments face au tennis ne sont plus les mêmes qu'auparavant. J'ai réalisé quelle chance incroyable j'avais de gagner ma vie en pratiquant un sport. Il n'existe pas de plus beau métier dans le monde. Je crois toujours en moi, je pense qu'il m'est possible de remporter de grands championnats. Si j'analysais les choses autrement, je ne me donnerais même pas la peine de jouer.»
>
> **John McEnroe**
> Tennis
> La Presse, 8 fév. 1989

ÉTAPE 4

Augmentez votre niveau de conditionnement physique. Rappelez-vous qu'un physique plus fort se traduit par une attitude mentale plus forte, plus solide.

> *«Il n'est pas question de me décourager. Ce qui m'arrive est une bonne leçon. Déjà, j'ai appris qu'il me faudra continuer à trimer dur.»*
> **Stefan Edberg, en parlant de sa défaite surprise au Tournoi de Toronto.**
> Tennis
> *Journal de Montréal,* 11 août 1988

> *«En cinq sets, ce n'est pas toujours le meilleur qui finit par gagner, contrairement à ce qu'on raconte. C'est à celui qui tient le coup mentalement le plus longtemps. N'importe quoi peut arriver, mais si vous êtes fort physiquement, vous vous sentez fort mentalement.»*
> **John McEnroe**
> Tennis
> *L'Équipe,* 16 oct. 1988

ÉTAPE 5

Consacrez de 10 à 15 minutes chaque jour, à raison de deux fois par jour, à reconstruire vos attitudes, croyances et pensées. Commencez chaque séance en faisant de 5 à 10 minutes de relaxation suivie par de la visualisation et de l'imagerie. Visualisez-vous en train de briser de nouveaux et excitants niveaux de performance. Voyez et sentez votre confiance grandir en vous. Reprogrammez votre monde intérieur d'expériences positives aussi vivantes et aussi réalistes que possible. Répétez plusieurs fois «Je vais l'avoir», «Je sens que ça revient, ça y est». Pratiquez-vous à recapturer ce *Winning feeling*. (voir le chapitre VII traitant de la visualisation)

ÉTAPE 6

Éliminez la pression inutile. Laissez les choses se produire naturellement et cela arrivera quand les conditions internes seront de nouveau normales *.

---

* Tiré et adapté de :
Mental toughness training for sports, James E. Loehr, The Stephen Greene Press, Massachusetts, 1982, 190 pp.

Conclusion

Les secrets de la réussite des champions n'a pas été écrit par des psychologues mais par deux entraîneurs qui voulaient s'améliorer et en savoir plus long sur ce domaine si vaste et si complexe.

Nous sommes partis du principe que la plupart des sportifs apprennent la technique et la tactique de leur discipline sportive par imitation, à l'aide de démonstrations ou de conseils de joueurs et d'entraîneurs de haut calibre.

Alors, pourquoi ne pas faire la même chose, au point de vue psychologique, avec les déclarations et analyses des grands athlètes?

Nous souhaitons simplement que vous ayez autant de plaisir à lire ce volume que nous en avons eu à le rédiger.

Si, en plus, vous parvenez à en utiliser certaines parties à votre avantage, eh bien! vous aurez réalisé le but de cet ouvrage.

François Allaire
Alain Vinard

Bibliographie

BOUET, Michel, *Sociologie du sport*, Éditions Universitaires, Paris, 1968, 218 pp.

BOUET, Michel, *Les motivations des sportifs*, Éditions Universitaires, Paris, 1969, 235 pp.

CHANGEUX, J.P., *L'homme neuronal*, Éditions Fayard, Paris, 1983, 219 pp.

DURAND, Marc, *L'enfant et le sport*, Éditions Puf, Paris, 1987, 209 pp.

GALLWEY, Thimothy, *Gagner le match*, Éditions Le Jour, Montréal, 1984, 237 pp.

GALLWEY, Thimothy, *The Inner Game of Tennis*, Random House, New York, 1974, 178 pp.

GARFIELD, Charles A., *Maxi performance*, Éditions de L'homme, Montréal, 1987, 228 pp.

GOFFI, Carlos, *La stratégie du vainqueur*, Éditions Laffont, Paris, 1985, 134 pp.

LOEHR, E., James, *Mental Toughness Training for Sports*, The Stephen Greene Press, Massachusetts, 1982, 190 pp.

NUTTIN, J., *Théorie de la motivation humaine*, Éditions Puf, Paris, 1980, 212 pp.

PASINI, W., GARAIALDE, J., *Psycho Golf*, Éditions Laffont, Paris, 1988, 171 pp.

PARTER, K., FORTER, J., *The Mental Athlete*, Ballantine Books, New York, 1974, 178 pp.

PROVOST, P., *Jouez gagnant la psychologie du sport*, Les Entreprises P. Provost inc., Ottawa, 1982, 152 pp.

SYER, J., CONNOLLY, C., *Le mental pour gagner*, Robert Laffont, Paris, 1988, 207 pp.

THOMAS, R., *Milieu social, relations et pratiques sportives*, Éditions Vigot, Paris, 1983, 210 pp.

WAITLEY, Denis, *Attitude d'un gagnant*, Un monde différent Ltée., Montréal, 1982, 198 pp.

WEINECK, Jurgen, *Manuel d'entraînement*, Éditions Vigot, Paris, 1986, 380 pp.

Table des matières

Remerciements 5

Introduction 7

Chapitre 1
Le match extérieur et le match intérieur............................ 9

Chapitre 2
Image de soi 53

Chapitre 3
La motivation sportive.. 75

Chapitre 4
La volonté de gagner... 93

Chapitre 5
La discipline personnelle ainsi que les plaisirs
de l'entraînement et des matchs 109

Chapitre 6
L'équilibre et la relaxation... 127

Chapitre 7
La visualisation... 143

Chapitre 8
La concentration 157

Chapitre 9
La réaction naturelle ou instinctive 169

Annexe 1
Maintenir sa forme mentale lors d'une blessure.................... 181

Annexe 2
Que faire lors d'une baisse de performance?...................... 193

Conclusion... 199

Bibliographie.. 201

Achevé   Imprimerie
d'imprimer Gagné Ltée
au Canada Louiseville